L'Aube des civilisations

Les textes ont été rédigés avec la collaboration de
Béatrice André-Salvini, Sophie Cluzan, Nathalie Corradini,
Catherine Louboutin, Marie-Hélène Marino
Les illustrations sont de
Jean-Philippe Chabot, Ute Fuhr, Donald Grant, Christian Heinrich,
Jean-Pierre Lange, Sylvaine Pérols, François Place, Jame's Prunier,
Raoul Sautay, Jean Torton, Gilles Tosello

Gallimard-Larousse

Encyclopédie Découvertes Junior

Publiée sous la direction de :
Pierre Marchand

Réalisée avec le concours des plus grands auteurs et illustrateurs français et étrangers, «Découvertes Junior» est une encyclopédie visuelle qui parle à l'imaginaire tout en informant le lecteur. Des origines à nos jours — du Big-Bang à la dernière décennie — «Découvertes Junior» se propose de faire découvrir, à un public curieux et exigeant (10-15 ans), les civilisations qui ont façonné notre histoire au cours des millénaires.

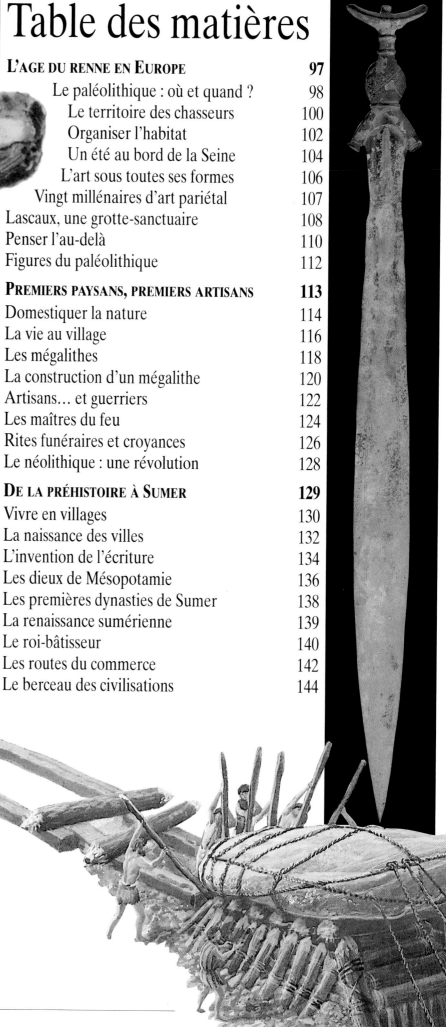

Histoire

Sciences de la nature

Sciences et techniques

Arts

Littérature

Pour chacun des sujets abordés (nature, histoire, sciences et techniques, littérature, arts...), un code couleur a été mis en place correspondant à chaque thème traité :

Loi n° 49-956 du 16 juillet 1949 sur les publications destinées à la jeunesse. Premier dépôt légal : octobre 1991
Dépôt légal : septembre 1996
Numéro d'édition : 78122
ISBN : 2-07-054902-X
© Publications internationales pour la jeunesse Gallimard-Larousse 1991
© Gallimard Jeunesse.
pp. I à XVI 1991
Photogravure : Ernio
Imprimé en Espagne par Fournier A. Gráficas. SA
2ème semestre 1996.

Table des matières

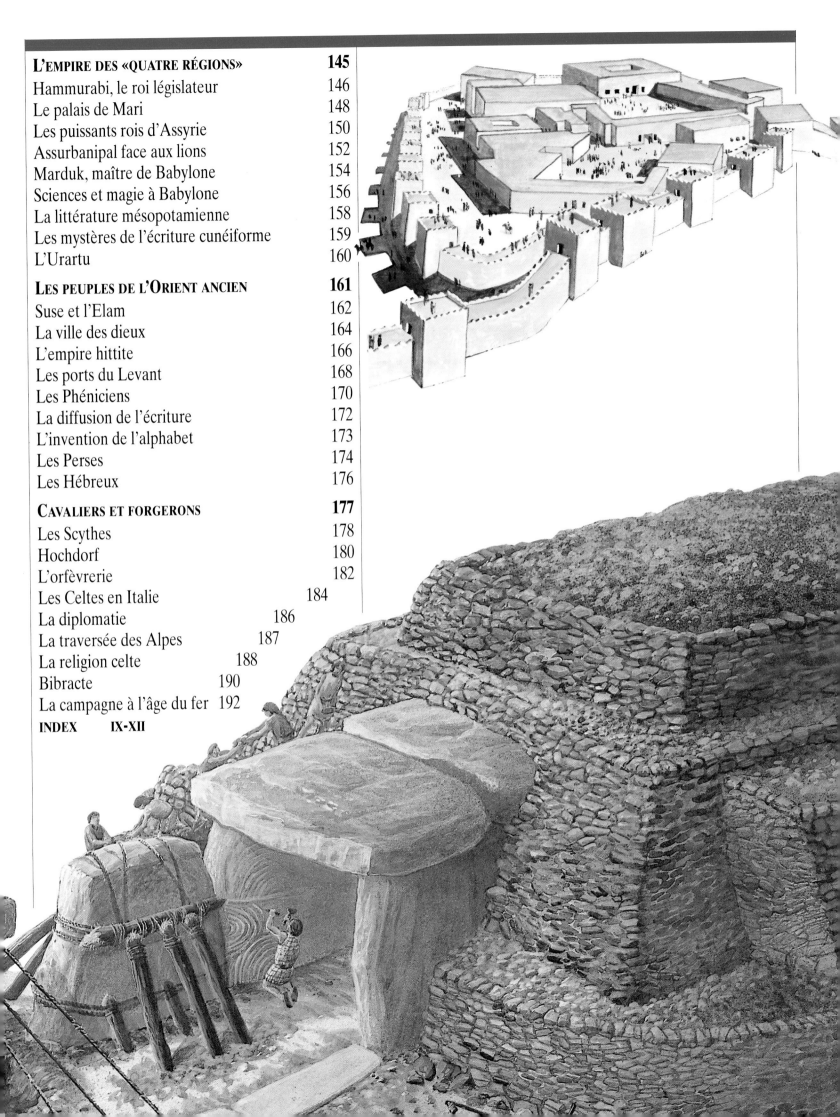

Où l'homme taille des pierres pour frapper, trancher, transpercer, découper ou gratter… Où l'homme apprivoise la nature, domestique les animaux, maîtrise le feu et dresse des mégalithes… Où l'on assiste à la naissance des villes, à l'invention de l'écriture, au développement

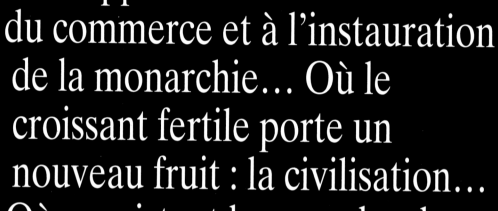

du commerce et à l'instauration de la monarchie… Où le croissant fertile porte un nouveau fruit : la civilisation… Où coexistent les peuples de l'Orient… Où l'homme s'affirme en battant le fer et en domptant le cheval… et l'histoire peut enfin commencer.

L'âge du renne en Europe

pionniers de la
préhistoire, **Edouard
Lartet** et **Henry
Christy**, découvrent à
La Madeleine en
Dordogne (France) un
mammouth gravé sur
ivoire.

Les premières formes de l'homme moderne (*Homo sapiens sapiens*) apparaissent au Proche-Orient et en Afrique du Nord il y a 90 000 ans.

Elles sont contemporaines des derniers hommes fossiles (*Homo sapiens neandertalensis*) qu'elles remplacent progressivement.

Il y a plus de 30 000 ans, le développement, puis l'apogée des techniques artistiques témoignent de l'essor d'une pensée symbolique.

En 1901, l'**abbé Breuil**, le docteur **Capitan** et l'instituteur **Peyrony** découvrent la grotte des **Combarelles** et celle de **Font-de-Gaume** aux **Eyzies de Tayac** (France). Ils découvrent que l'homme préhistorique est aussi un artiste. A partir de cette date,

l'abbé Breuil se consacrera à l'étude de l'art préhistorique.

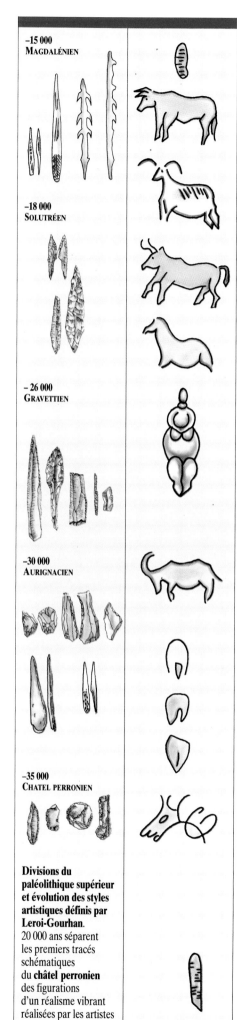

Divisions du paléolithique supérieur et évolution des styles artistiques définis par Leroi-Gourhan. 20 000 ans séparent les premiers tracés schématiques du **châtel perronien** des figurations d'un réalisme vibrant réalisées par les artistes **magdaléniens**.

Le paléolithique : où et quand?

Les chasseurs du paléolithique supérieur sont contemporains de la dernière glaciation, appelée Würm ou Weichsel en Europe et Wisconsin en Amérique. Dans le continent eurasiatique, ils vivent dans un environnement soumis à des variations climatiques où les périodes tempérées alternent avec les périodes de froid plus ou moins intense (la moyenne annuelle des températures n'a sans doute jamais été inférieure de plus de 15 degrés à la moyenne actuelle). Ces oscillations ont duré quelques siècles voire quelques millénaires et ont laissé des traces dans le sol. Les géologues qui étudient les couches de terrain arrivent à saisir ces changements en analysant les sédiments, leur taille, leur aspect, leur origine, etc. D'autres spécialistes étudient les pollens microscopiques ou les charbons. Ils sont capables de décrire les associations de plantes de chaque couche de terrain (aulnes, pins, bouleaux, noisetiers, graminées, fougères...) et de reconstituer le paysage environnant (forêt humide, steppe, prairie coupée de bois...).

Les hommes du paléolithique supérieur s'adaptent très bien à ces conditions climatiques. Ils peuplent de nouveaux territoires et pénètrent dans les zones périglaciaires et les régions arctiques. Ils colonisent alors le nord-est de l'Europe et la Sibérie. Ils s'aventurent loin des côtes, franchissent des détroits et atteignent la Terre de Sahul (continent qui relie alors la Nouvelle-Guinée, l'Australie et la Tasmanie) tandis que d'autres passent d'Asie en Amérique. La différenciation raciale des hommes du paléolithique, qu'attestent les découvertes sur les différents continents, est encore mal élucidée. Certains spécialistes pensent d'ailleurs qu'elle a commencé au paléolithique inférieur avec les variations de l'espèce *Homo Erectus*.

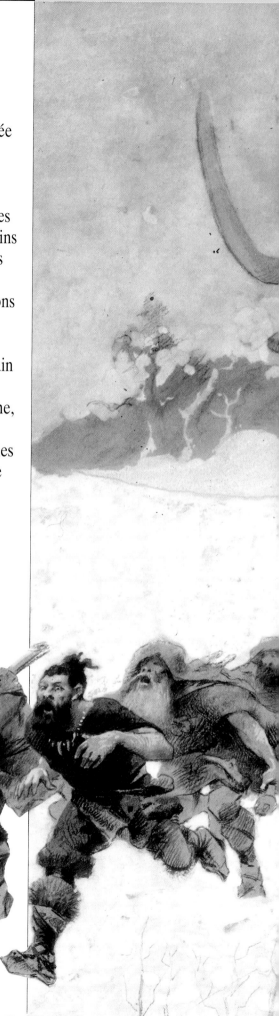

Le paléolithique supérieur est également marqué par une nouvelle étape technologique. Alors que l'outillage en pierre taillée du paléolithique moyen, soit pendant plus de 50 000 ans, était fabriqué à partir d'éclats, celui que vont réaliser les hommes modernes (de –35000 à –9000) est fondé sur le débitage des pierres en lames et lamelles. Ces lames sont le support d'outils légers, diversifiés, efficaces. Parallèlement, l'outillage en os se développe. Celui-ci a beaucoup varié durant vingt-cinq millénaires.

C'est en se fondant sur l'observation des divers aspects de l'outillage trouvé dans des couches d'âges différents que les préhistoriens ont établi la chronologie du paléolithique supérieur. Ils ont donné à chaque époque le nom du gisement où une industrie originale a été reconnue pour la première fois (gisement éponyme). C'est ainsi que l'on parle, en France, de l'aurignacien (Aurignac en Haute-Garonne), du gravettien (La Gravette en Dordogne) ou du magdalénien (La Madeleine en Dordogne) et, en Hongrie, du szélétien (Szeleta). Des groupes d'hommes suivant des traditions différentes de fabrication de l'outillage ont parfois coexisté : c'est pourquoi ces noms (magdalénien, aurignacien...) désignent également des cultures humaines distinctes.
Depuis les années 1950, un grand pas a été franchi dans les techniques de datation. En mesurant les éléments radioactifs qui subsistent dans les charbons et les os des couches archéologiques, on a pu dater celles-ci de façon beaucoup plus précise.

CARTE DE RÉPARTITION DES PRINCIPAUX SITES DU PALÉOLITHIQUE SUPÉRIEUR EN EUROPE Cette carte montre l'extension des cultures du paléolithique supérieur dans tout l'ancien monde, jusqu'en Sibérie.

Les chasseurs se sont aventurés partout, jusque dans les plus hautes vallées de montagne, à la limite du front des glaciers.

LA FAUNE
Les animaux qui entouraient les hommes préhistoriques et dont ceux-ci tiraient leur subsistance sont ceux qui vivent encore à l'heure actuelle entre le cercle polaire, au nord et la latitude de la France, au sud (à l'exception du mammouth, du rhinocéros laineux et de l'ours des cavernes, qui n'ont pas survécu à la fin des temps glaciaires). Les chasseurs côtoient les troupeaux de grands herbivores (aurochs, bisons, chevaux, rennes, bœufs musqués...), leurs prédateurs (loups, félins), mais aussi des petits mammifères très variés (lemmings, lièvres variables...), des oiseaux (perdrix des neiges, par exemple) et des poissons (saumons, truites, chevesnes...).

saumons remontent le courant nous donne une idée des ressources variées qui s'offraient aux hommes préhistoriques.

LES ARMATURES DE PROJECTILES ET LEUR EMMANCHEMENT
Des objets de formes très variées, en silex, en bois de renne ou parfois en ivoire, que les préhistoriens regroupent sous le terme d'armature, ont servi d'outils de chasse. Ils étaient emmanchés et utilisés soit comme arme de jet, soit comme arme d'approche.

UTILISATION D'UN PROPULSEUR
Encore utilisé de nos jours par certains groupes de chasseurs-cueilleurs en Afrique ou en Australie, le propulseur est destiné à augmenter la puissance et la vitesse de propulsion lors du lancer d'armes de jet. Le talon de celles-ci vient s'appuyer sur un système de butée (crochet au paléolithique). Cet instrument a considérablement amélioré les techniques de chasse. Autrefois dénommés «bâtons de commandement», les **bâtons percés** sont actuellement considérés comme des ustensiles dont la fonction exacte reste encore énigmatique. L'hypothèse la plus répandue en fait des redresseurs de sagaies. Ils sont très souvent décorés.

Le territoire des chasseurs

Les groupes de chasseurs du paléolithique supérieur sont les héritiers d'une longue expérience et connaissent parfaitement les ressources de leur territoire et le mode de vie du gibier, herbivores vivant en troupeaux (les rennes) ou isolés (les cerfs), carnivores, petits mammifères, oiseaux. Ils s'adaptent aux migrations saisonnières des rennes qui contribuent largement à leur alimentation carnée. Tout dans cet animal providentiel est récupéré ; les peaux, tannées à l'ocre rouge, sont transformées en vêtements, toiles de tente ou récipients ; les ramures, en outils (pointes, propulseurs, bâtons percés...), tandis que les tendons et les boyaux servent de ligature pour l'emmanchement des outils et des armes et que les dents percées deviennent des parures.

LE BATON DE LORTET
Gravé sur un fragment de bois de renne, ce défilé de rennes traversant une rivière dont les

ESQUIMAU HARPONNANT UN PHOQUE

SCHÉMA DE LEROI-GOURHAN
Pour 1 kg de silex,

l'homme
de l'**abbevillien**
obtient 10 cm
de tranchant utile ;

l'**acheuléen** obtient
40 cm ;

le **moustérien**
obtient 2 m ;

le **magdalénien** obtient
de 6 à 20 m.

La première
«**statistique
économique**» montre
que, dès l'origine
des techniques,
la matière première
et les contraintes
du transport ont
dominé la fabrication.
L'expérience millénaire
des hommes du
paléolithique supérieur
leur permet donc
de porter la taille
du silex à son
rendement maximal.

**LES MATIÈRES
PREMIÈRES DE
L'OUTILLAGE LITHIQUE**
Ces outils solutréens,
trouvés dans la grotte
du **Placard** en
Charente, ont été
taillés à partir
de matières premières
de provenance
et de nature diverses
(**quartz, jaspe
moucheté, calcédoine**).

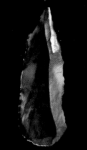

Les solutréens
ont souvent recherché
des matériaux
présentant des
caractères esthétiques,
même s'ils étaient plus
rares ou plus difficiles à
se procurer que le silex.

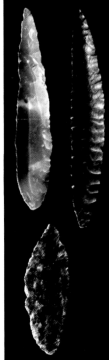

**LE DÉBITAGE
LAMINAIRE**
Le débitage d'une lame
(ci-contre) suppose
une préparation
spécifique du rognon
de silex, notamment
pour aménager le plan
de frappe. Le tailleur
frappe d'une main avec
un percuteur en bois
de renne tandis
qu'il pointe de l'autre
main le bord
du plan de frappe avec
un «**chasse-lame**», pour
mieux diriger son coup.

Les hommes préhistoriques
exploitent aussi la peau
des carnivores pour leur fourrure,
l'ivoire des défenses de mammouths ainsi
que les dents d'autres animaux (bovidés,
renards, ours, loups) pour les objets d'art
et pour la parure.

A l'occasion, les chasseurs tirent parti
d'autres ressources, telles que la pêche
qui fournit un complément non
négligeable à certains moments de
l'année, et la cueillette qui joue le même
rôle pendant la belle saison.

Au cours des déplacements,
d'autres matières premières
sont collectées. Tout d'abord,
certaines pierres indispensables à la taille
des outils. Les hommes préhistoriques
connaissent l'emplacement de gîtes
de silex où ils viennent régulièrement
choisir et prélever les meilleurs rognons
– ceux qui n'ont pas subi le gel – dont
ils tirent des lames.

Ils ramassent aussi des pierres tendres
pour la sculpture et la gravure, de même
que des coquillages marins, certains fossiles,
que l'on retrouve parfois à plusieurs centaines
de kilomètres de leur lieu d'origine.
Ces matériaux plus rares étaient sans doute
échangés ou transmis de génération en génération.
Cette vie nomade suppose que les chasseurs
du paléolithique supérieur avaient instauré
une juste répartition des tâches impliquant
la collaboration de tous.

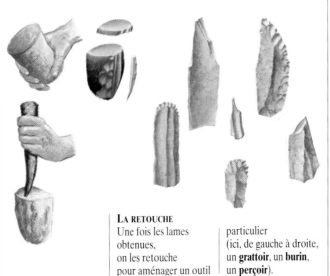

LA RETOUCHE
Une fois les lames
obtenues,
on les retouche
pour aménager un outil
particulier
(ici, de gauche à droite,
un **grattoir**, un **burin**,
un **perçoir**).

**LE DÉBITAGE
DU BOIS DE RENNE**
Toutes les parties d'un
animal étaient utilisées
par les hommes
préhistoriques. Le bois
de renne, résistant
et relativement facile
à travailler, était utilisé
pour fabriquer des
armatures de **sagaies**.
Des baguettes étaient
extraites par rainurage
puis sectionnées
et polies. A partir
de ces mêmes bois
de renne, les hommes
préhistoriques
ont fabriqué des
propulseurs, des **bâtons**

perforés pour redresser
à chaud les sagaies et, à
partir du magdalénien,
des **harpons**.

**LA FABRICATION DES
AIGUILLES À CHAS**
En os, parfois en ivoire,
l'aiguille à chas est une
invention solutréenne.
Elle permet un travail
beaucoup plus fin
qu'un poinçon pour
assembler les peaux
ou fabriquer
un vêtement ajusté,
par exemple.

Son invention coïncide
avec la période la plus
froide du paléolithique
supérieur.

Le **foyer**, centre vital et souvent unique vestige de l'habitation paléolithique.

Organiser l'habitat

On s'imagine parfois, à tort, que les hommes préhistoriques ont choisi systématiquement les grottes pour y élire domicile. En réalité, les habitations de plein air devaient être plus nombreuses (mais elles se sont moins bien conservées). Là où les hommes se trouvent, ils cherchent à se protéger du froid, du vent, de l'humidité, des animaux dangereux. Ils modèlent l'espace habité en fonction des activités qui les occupent et selon leur organisation sociale et leur culture. De préférence, ils choisissent les grottes et les abris sous roche bien exposés, proches d'une rivière et si possible dominant une vallée et ses troupeaux d'animaux. Dans ce cas, l'abri naturel est réaménagé. On y installe un «double toit» qui permet de délimiter un espace plus douillet.

Mais, le plus souvent, ils s'installent en plein air dans une plaine, une vallée ou sur un plateau. Ils édifient alors des huttes ou des tentes avec les matériaux les plus divers, parfois des os de mammouths.

FOYER D'ETIOLLES

Foyer d'une habitation de chasseurs de rennes du Bassin parisien. Les archéologues ont retrouvé ce foyer dans l'état où les magdaléniens l'ont laissé en partant : ceux-ci ont apporté une grande dalle au-dessus

de l'amoncellement des pierres de chauffe. Près des foyers paléolithiques se remarquent souvent des plaques vides de tout vestige. Ces endroits où il n'y a rien sont ceux justement où

il y avait quelque chose qui a empêché les débris de l'activité humaine de se déposer sur le sol.

Ces «témoins négatifs» sont peut-être les traces de la présence, près du feu, de récipients en matière périssable. On imagine assez bien les hommes du paléolithique plongeant, à l'instar des Indiens, des pierres brûlantes dans des marmites d'écorce pour confectionner de réconfortants bouillons de viande.

de pierres. Lorsque le combustible végétal se faisait rare, il était alimenté par les os de rennes. Une fois les flammes éteintes, on prolongeait appréciablement, par exemple, pour la

LES DIFFÉRENTES PHASES D'UTILISATION D'UN FOYER

Élément central de l'activité domestique, le foyer n'en était pas moins, pour des raisons

évidentes de sécurité et de fonctionnement, situé le plus souvent à l'entrée de l'abri. Généralement de dimensions assez modestes, il se composait d'une cuvette creusée dans le sol ou encore d'une surface bordée

nuit, l'effet calorifique des braises en les recouvrant d'un tas de galets. Pour rallumer le feu, il restait à faire place nette en écartant les galets et en évacuant la cendre.

Types d'habitation au paléolithique : **abri sous roche, grotte** et **habitat de plein air**.

RECONSTITUTION DE L'HABITAT D'HIVER DE GONNERSDORF
Située sur la rive droite du Rhin, l'habitation a été établie à demeure et occupée à plusieurs reprises. Les magdaléniens qui chassaient le cheval, le renne et le renard, vivaient dans une grande tente circulaire. Des plaquettes de schiste gravées de représentations animales et humaines jonchaient le sol de l'habitat. Quelques statuettes féminines schématiques ont été retrouvées dans de petites fosses.

Les sols d'habitat que les archéologues ont mis au jour et étudiés peuvent correspondre à plusieurs situations. Il peut s'agir d'une simple halte sur un parcours destiné à se procurer quelque matière première ou d'une étape sur le chemin d'une migration saisonnière. Il peut s'agir également d'un «campement de base» saisonnier, où les hommes s'installent pour plusieurs semaines, voire plusieurs mois. Par exemple, les sites français magdaléniens de Pincevent, Etiolles, Verberies ou Marsangy dans le Bassin parisien, sont les restes de stations de chasse dont les occupants dépendaient de bases probablement assez éloignées (Morvan, Vienne et Charente).

Dans les grandes plaines du Nord et de l'Est les campements de plein air sont la règle. Dans ces paysages de steppes, les chasseurs construisent de grandes cabanes arrondies en partie enterrées dans le lœss (sédiment jaune très fin déposé par le vent). Dans les paysages plus hospitaliers des plaines et plateaux français, on a retrouvé des sols de cabane recouverts de galets ou de plaquettes destinés à protéger de l'humidité. Dans tous les cas, le foyer est l'élément central de l'habitat : il s'agit de foyers ouverts qui servent pour la cuisine, l'éclairage, le chauffage.

LE PALÉOLITHIQUE HORS D'EUROPE
Aux périodes les plus froides de la dernière glaciation, le **détroit de Béring** émergea à plusieurs reprises, allant jusqu'à former un pont terrestre de 1500 km de large que les hommes empruntèrent sans même se rendre compte qu'ils franchissaient un continent. Mais cette colonisation à pied sec n'exclut pas le passage du détroit par la navigation : l'exemple du peuplement de l'**Australie** par le franchissement des bras de mer entre le continent asiatique et la **Nouvelle-Guinée**, il y a plus de 40 000 ans, est là pour nous

EXTENSION DES GLACIERS

	18 000-16 000 av. J.-C.
	10 000 av. J.-C.
	Extension maximale de l'isthme de Béringie 18 000-16 000 av. J.-C.

de squelettes humains (l'homme de **Chimalhuacan** au **Mexique** remonte à 28 000 ans) et de campements de chasseurs attestent la présence de l'homme en Amérique avant la fin de la dernière glaciation. A cette époque, l'homme est présent à travers tout le continent. C'est le temps des chasseurs de mammouths, de bisons et de chevaux dans les plaines de l'Amérique du Nord. Ils fabriquent des pointes de projectiles finement retouchées. Quant aux traditions

le rappeler. On distingue deux phases dans le peuplement de l'Amérique : la phase «pré-projectile» (sites du **Texas**, **Californie**, **Nevada**, **Amérique centrale**, **Brésil**, et site d'**Old Crow** en **Alaska**) est encore mal connue. Quelques découvertes récentes et bien datées

arctiques, elles sont postérieures à la glaciation de **Würm**.

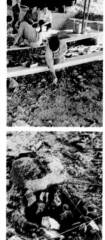

La vie domestique se déroulait autour des foyers creusés et bordés de pierre, qu'il s'agisse des activités culinaires, de la taille du silex, de la fabrication, de la réparation ou du redressement des sagaies, activités qui nécessitaient toutes le recours à la chaleur. Au-delà de chaque foyer se trouve la zone de rejet et d'évacuation des déchets tandis que l'abri lui-même, zone de repos et de couchage, est vide de trace. Tous les objets en bois ou en peau ainsi que les os trop fragiles ont disparu. Les vestiges laissés par les magdaléniens après leur départ furent protégés par une couche de limon déposée par la Seine.

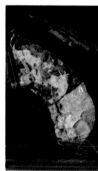

Grâce à un décapage et à un enregistrement minutieux, les archéologues parviennent à reconstituer en détail certains gestes techniques de ces chasseurs de rennes.

Un été au bord de la Seine

Arrivés à la fin du printemps avec une petite provision de lames de silex provenant d'un gisement 40 kilomètres plus au nord, les magdaléniens s'installèrent à Pincevent. Ce lieu de passage des troupeaux de rennes offrait également un gîte de silex sur les berges de la Seine. Des abris légers étaient installés, adossés aux vents dominants de l'ouest et ouverts sur un foyer installé à un mètre vers l'avant.

En remontant à la manière d'un puzzle un rognon de silex à partir des multiples éclats et outils dispersés sur le sol du campement, les archéologues tirent des informations sur le niveau technique des tailleurs ainsi que sur les échanges et partages entre les différentes unités d'habitation (dix unités sur une superficie de 3 500 m²). Les mêmes remontages se font à partir des pierres de foyer ou des ossements de renne.

LA PARURE
Les coquillages trouvés dans les habitats ou les sépultures sont de précieux témoins des activités humaines. Selon leur origine géographique, atlantique ou méditerranéenne, selon qu'ils sont fossiles ou actuels, ils prouvent l'existence d'échanges ou de déplacements périodiques des groupes humains.

L'art sous toutes ses formes

Ce que nous regroupons sous le terme d'art paléolithique recouvre des œuvres de styles et de techniques très divers. Cet art, qui se développe sur 25 000 ans, a bien sûr évolué. Les premiers graphismes figuratifs sont attribués à la culture aurignacienne, il y a plus de 30 000 ans : il s'agit de gravures obtenues par piquetage et de peintures qui représentent des symboles sexuels ainsi que des animaux encore très schématiques.

LES GALETS PEINTS AZILIENS
L'art paléolithique prend fin d'une manière tout à fait particulière : dès la fin du magdalénien, les œuvres sur plaquettes et galets se multiplient ; puis l'art animalier laisse la place à des peintures et gravures non figuratives – il s'agit de traits et de points peints en rouge ou gravés sur des galets. Il pourrait s'agir d'un système de comptabilisation.

LE CHEVAL DE VOGELHERD
Ce petit cheval en ivoire (5 cm de long) a été trouvé avec quelques autres sculptures animalières sur le site de Vogelherd

dans le bassin supérieur du Danube. Il a 32 000 ans : il s'agit d'une des plus anciennes sculptures de l'humanité.

LE PROPULSEUR DES TROIS FRERES
Ce célèbre propulseur aux bouquetins affrontés a été trouvé à **Enlène** en **Ariège** (France). Les bouquetins n'ont jamais eu de tête.

LE BISON DE LA MADELEINE
L'association de la **ronde-bosse** et de la gravure, l'utilisation habile du matériau de base (il n'y avait pas la place de figurer la tête dans le prolongement du corps) font de ce «bison se léchant» de La Madeleine un des chefs-d'œuvre de l'art mobilier paléolithique.

LE PLAFOND D'ALTAMIRA
L'impression de polychromie est due à la couleur du support rocheux. Le modelé du corps des bisons est particulièrement réussi.

LE BLOC SCULPTÉ DU ROC DE SERS
Les solutréens ont particulièrement pratiqué la sculpture monumentale : en témoigne ce bloc de 1,60 m de long (ci-dessous) sur lequel figurent un cheval et un bison dont la tête a été retaillée pour figurer un sanglier.

RONDELLE D'OS DU MAS D'AZIL
Ci-dessous, les deux faces gravées des images d'une vache et d'un veau évoquent l'image de la maternité.

CHEVAL SAUTANT DE BRUNIQUEL
Comme pour le «bison se léchant», l'attitude du cheval, pattes avant repliées en train de sauter, a été dictée par la forme allongée du support (bois de renne). Les détails du pelage sont particulièrement bien indiqués.

SCEPTRE DE LA VACHE
Ce bâton sculpté associe la technique de la ronde-bosse (extrémité à tête d'oiseau) et celle du relief : sur les côtés, sont figurés deux couples d'animaux, un cervidé et un poisson (visible ici), un cheval et un félin.

LIONNE DE DOLNI VESTONICE
Modelée en argile, cette tête de lionne a été retrouvée avec d'autres fragments de statuettes dans un foyer à demi enterré (peut-être un four).

VÉNUS DE SAVIGNANO
Une des plus grandes représentations féminines.

VÉNUS DE WILLENDORF
Les statuettes féminines du gravettien, qu'elles proviennent du **Périgord** (France), d'**Italie**, d'**Autriche** ou d'**URSS** se ressemblent. Les traits du visage ne sont pas indiqués. Les seins, le ventre, les hanches et les fesses sont exagérés, contrairement aux avant-bras et aux pieds qui sont souvent atrophiés ou même inexistants. La forme générale de ces statuettes vues de face ou de dos est celle d'un losange. Celle-ci provient du site de Willendorf en Autriche ; elle mesure 11 cm et a été façonnée dans une pierre calcaire. Elle conserve quelques traces de coloration rouge.

LES SIGNES DANS L'ART PARIÉTAL
La signification des signes très nombreux dans les cavernes nous échappe encore. Dans certains cas, les ponctuations semblent marquer le début ou la fin du décor pariétal ou un changement dans la topographie de la grotte. D'autres accompagnent les figures animales ou humaines. D'autres encore forment des panneaux entiers. Certains d'entre eux sont particuliers à une seule région.

PECH-MERLE
Isolés sur un panneau de 4 m de long, les deux chevaux pommelés de Pech-Merle (ci-contre) ont été peints grâce à la technique du pochoir, en utilisant les mains comme écran (cache) et en soufflant la peinture liquide. Ils sont accompagnés de mains en négatif et d'empreintes de mains au pouce replié de profil. Cette technique a également été utilisée à Lascaux.

Vingt millénaires d'art pariétal

L'art pariétal est l'art de la peinture sur les parois, un art qui, pour la première fois, conquiert les profondeurs souterraines à partir du gravettien (Gargas, Pair-non-Pair) et les transforme en sanctuaires, jusqu'à couvrir de chefs-d'œuvre les moindres replis de plus de cent grottes du domaine franco-cantabrique au magdalénien.

Mais les traces de l'homme dans le monde souterrain ne se limitent pas à l'art pariétal. Traces de pas, traces de pratiques difficilement interprétables, dépôts et oubli d'objets utilitaires (burins, crayons de couleur, lampes...), mais aussi modelages en argile sur le sol des grottes, traits ou signes exécutés rapidement avec les doigts..., tout cela doit être pris en compte dans l'interprétation des archéologues car cela nous donne de précieuses indications sur la manière dont les hommes préhistoriques se sont approprié l'espace souterrain.

Toutes les techniques ont été utilisées : les tracés digitaux sur argile, la gravure appliquée à des supports très divers et, bien sûr, la peinture qui inclut des pratiques aussi diverses que la projection de peinture liquide sur la paroi par soufflage, l'application à l'aide de pinceaux et l'association de la peinture et de la gravure pour une même représentation. A Niaux (France), l'apparente simplicité des «dessins noirs» cache une préparation complexe (mélange de pigments broyés plus ou moins finement et de différentes matières organiques qui n'ont pas encore été identifiées).

Lascaux, une grotte-sanctuaire

sous les pins et les châtaigniers, l'entrée d'une grotte. C'est Lascaux. Ci-dessus, à gauche, deux des jeunes garçons, **Ravida**t et **Marsal**, en compagnie de leur instituteur, **Léon Laval** ; à droite, l'abbé Breuil, préhistorien accouru sur les lieux.

Merveilleusement conservée, Lascaux nous offre l'image parfaite et rare d'un sanctuaire organisé et de figurations polychromes monumentales à l'intérieur d'une grotte de dimensions pourtant modestes. Les aurochs et les chevaux, accompagnés de signes non figuratifs, forment la majorité des représentations. Les vestiges retrouvés dans le sol de la grotte nous permettent d'affirmer que ce lieu a été fréquenté pendant une période relativement courte (quelques siècles) il y a environ 17 000 ans.

LA ROTONDE DES TAUREAUX. A peine habitués à l'obscurité de la grotte, nous nous retrouvons au milieu de la rotonde des taureaux : pour exécuter les grands taureaux de 5 m de long et 2 m de haut, les artistes ont construit des plates-formes (les trous d'implantation de boulins ont été retrouvés sur les parois, certains soigneusement rebouchés avec de l'argile). Il ont fait de même pour décorer le plafond et les parois du diverticule axial.

LAMPE EN GRES ROSE GRAVÉE. En faisant brûler des morceaux de graisse et une mèche de **genévrier** dans une lampe, on obtenait une heure d'éclairage.

Celle-ci, taillée dans du grès rose, a été trouvée dans le puits de la grotte, à côté d'autres lampes plus grossières, faites de simples pierres creuses.

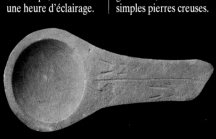

CHEVAL CHINOIS ET VACHE ROUGE DU DIVERTICULE AXIAL
Dans le prolongement de la rotonde des taureaux s'ouvre le diverticule axial. Ses parois et son plafond sont recouverts de files de chevaux à l'allure bondissante, de vaches, de cerfs et de bouquetins affrontés. Ce couloir se clôt sur la figure d'un cheval renversé.

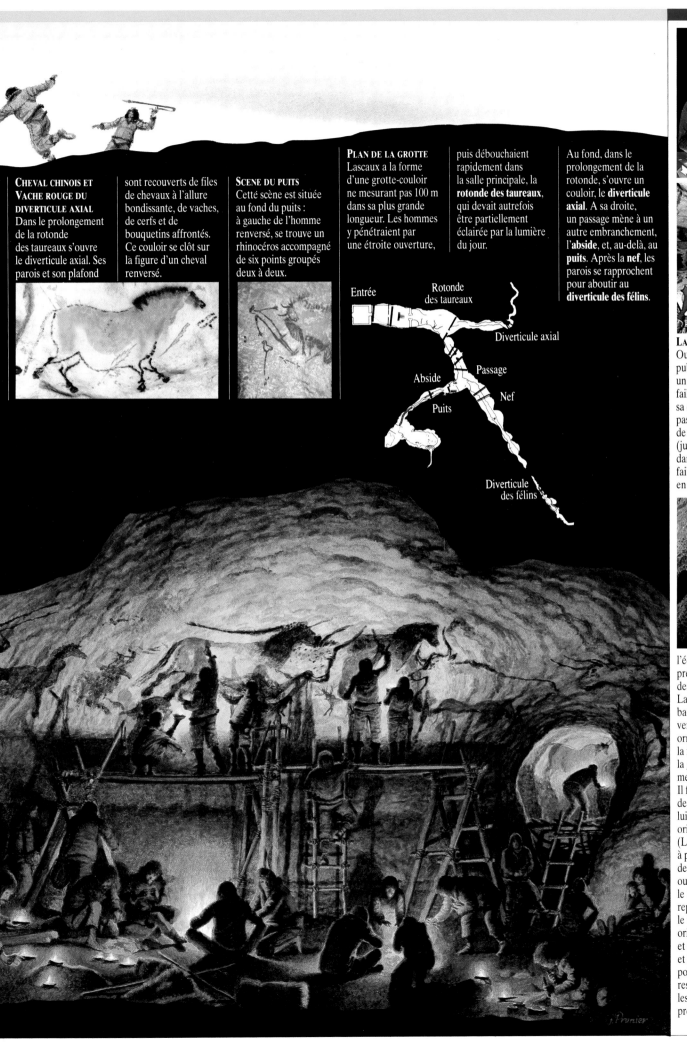

SCÈNE DU PUITS
Cette scène est située au fond du puits : à gauche de l'homme renversé, se trouve un rhinocéros accompagné de six points groupés deux à deux.

PLAN DE LA GROTTE
Lascaux a la forme d'une grotte-couloir ne mesurant pas 100 m dans sa plus grande longueur. Les hommes y pénétraient par une étroite ouverture, puis débouchaient rapidement dans la salle principale, la **rotonde des taureaux**, qui devait autrefois être partiellement éclairée par la lumière du jour.

Au fond, dans le prolongement de la rotonde, s'ouvre un couloir, le **diverticule axial**. A sa droite, un passage mène à un autre embranchement, l'**abside**, et, au-delà, au **puits**. Après la **nef**, les parois se rapprochent pour aboutir au **diverticule des félins**.

Entrée
Rotonde des taureaux
Diverticule axial
Abside
Passage
Puits
Nef
Diverticule des félins

LASCAUX II
Ouverte en 1948 au public, Lascaux connut un succès immédiat qui faillit bien entraîner sa destruction. Le passage de centaines de visiteurs chaque jour (jusqu'à 2 000 en été) dans une cavité de faible volume détruisit en quelques années

l'équilibre qui avait été préservé pendant des millénaires. La prolifération des bactéries et des algues vertes sur les parois ornées entraîna la fermeture de la grotte en 1963 par mesure conservatoire. Il fallut dix ans de recherches pour lui rendre son éclat originel. Le fac-similé (Lascaux II) situé à proximité immédiate de la grotte a été ouvert au public le 18 juillet 1983. Il reproduit exactement le volume et le relief original de la rotonde et du diverticule axial et les peintures polychromes ont été restituées en utilisant les techniques préhistoriques.

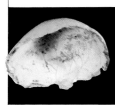

de trophées, de coupes à boire, ou bien leurs malheureux propriétaires avaient-ils fait les frais d'un festin d'anthropophages friands?...
Ci-dessous, la sépulture magdalénienne, en position repliée, mise au jour, en 1888, dans l'abri de **Raymonden** à **Chancelade** (Dordogne, France).

LES ENFANTS DE GRIMALDI
La découverte de deux jeunes individus

(ci-contre) inhumés à l'époque aurignacienne dans la grotte des enfants de Grimaldi (ci-dessus) et qualifiés de négroïdes a longtemps passé pour attester la présence, il y a 20 000 ans d'une population noire sur la Côte d'Azur (France). Une étude plus approfondie a récemment montré qu'il s'agissait en fait d'une méprise due à la dislocation de l'un des crânes pendant son séjour dans la terre.

CRO-MAGNON RAFFINÉ
L'homme du **Cavillon** est coiffé d'une résille de coquillages.

Penser l'au-delà

Les premiers exemples de préoccupations dépassant le cadre utilitaire de la vie quotidienne remontent au paléolithique moyen. Les premières sépultures sont néandertaliennes. Il en est ainsi de l'ensemble de La Ferrassie (Dordogne, France), fouillé de 1909 à 1921 par Denis Peyrony, de la célèbre sépulture d'enfant découverte en 1938 à Techik Tash (Ouzbékistan) ou encore de l'inhumation de Shanidar (Zagros iraquien), où le défunt reposait sur un lit de fleurs, cueillies au mois de juin (d'après l'analyse des pollens).

Les traces de rituel indiquent que, dorénavant, le mort peut être l'objet d'un traitement spécial, mais il reste très difficile d'interpréter ces faits de manière cohérente. Cependant, ils témoignent d'un sentiment né de la croyance dans un rôle joué par les défunts au-delà de la mort, rendant nécessaire la présence d'outils, de nourriture, d'objets non utilitaires comme les fleurs ou les cornes d'animaux. Ces faits, qu'il faut se garder d'interpréter avec trop d'imagination, sont suffisants pour nous révéler un univers intellectuel proche du nôtre, marqué par la solidarité humaine. Les sépultures d'enfants, de vieillards ou d'infirmes qu'il a fallu aider à survivre montrent que l'instinct de conservation égoïste peut être dépassé et qu'il existe certains liens entre morts et vivants.
Il est probable qu'un ensemble de croyances, qu'il faut se résigner à ignorer, accompagnait les rites dont nous retrouvons les traces.

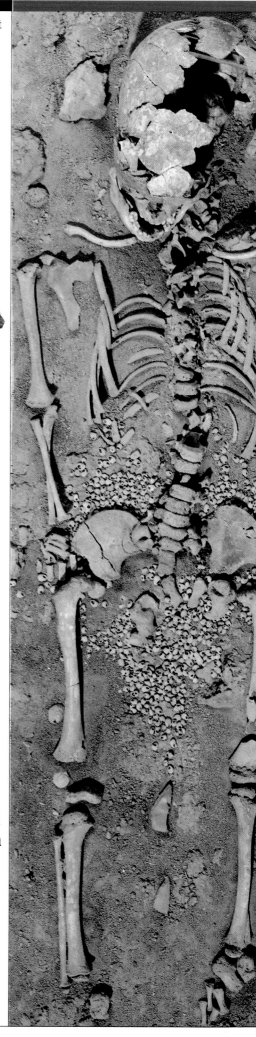

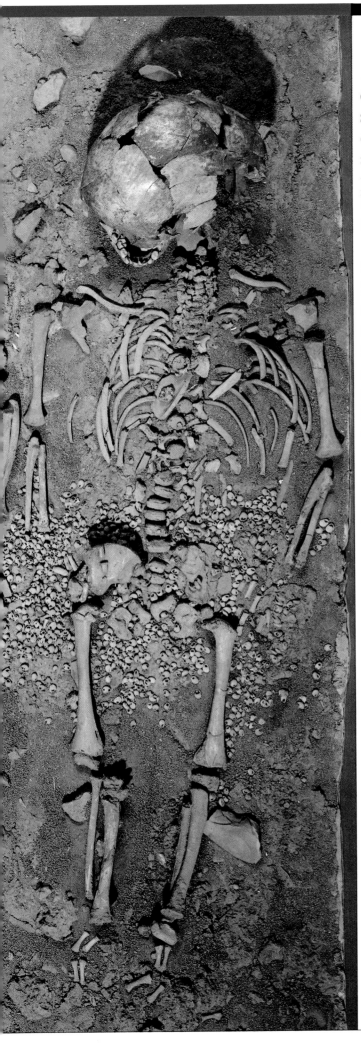

Avec l'homme moderne, les pratiques funéraires se généralisent et deviennent plus complexes. On a retrouvé plusieurs dizaines de sépultures datables du paléolithique supérieur en Europe. Le défunt est toujours déposé dans une fosse, en position tantôt allongée sur le dos, tantôt repliée. Parfois, quelques pierres protègent sa tête. Il est souvent revêtu de ses plus belles parures (grotte du Cavillon, Soungir) et parfois un mobilier funéraire exceptionnel a été laissé auprès du mort : sépulture double des enfants de Soungir. Le dépôt d'objets auprès du défunt était peut-être dicté par la crainte d'être contaminé par la mort, ou par la peur de sa vengeance, ou encore par le souci de le munir d'un équipement utile dans l'au-delà. Les deux dernières interprétations impliqueraient une croyance dans une forme de survie après la mort. Dans tous les cas, ces rites révèlent un état d'esprit à caractère religieux.

La plupart du temps, de l'ocre rouge est présente dans les sépultures. L'utilisation de l'ocre rouge dans le traitement des cadavres est admise, mais il faut se rappeler que l'ocre a été utilisée à des fins utilitaires, notamment pour le tannage des peaux et que, par ailleurs, cette ocre a pu servir du vivant de l'inhumé comme peinture corporelle. Par sa couleur, l'ocre rouge rappelle le sang, symbole de vie. Son dépôt dans les sépultures peut avoir représenté une forme de luxe offert au mort dans sa dernière demeure, une satisfaction destinée à éviter aux vivants les tracasseries d'un esprit mécontent de son sort.

Tous ces exemples ne doivent pas nous faire oublier que la majeure partie des restes humains de cette période a été trouvée dispersée et fragmentée dans les couches d'habitat. Pour une inhumation attestée, combien d'autres rituels non identifiables ou inexistants ?

STATUETTE MASCULINE articulée en ivoire (25 cm), trouvée dans la sépulture d'un adulte en **Tchécoslovaquie**, à **Brno** : elle faisait partie d'un mobilier funéraire particulièrement riche. Celui-ci comprenait 600 **dentales** (petits coquillages allongés) groupés près du crâne (ils devaient former une résille). 13 rondelles en os, ivoire ou pierre tendre ainsi que de grands anneaux plats en pierre tendre polie. Des défenses et une omoplate de mammouth ainsi que des côtes de rhinocéros accompagnaient le tout, fortement teinté d'ocre rouge.

Ci-dessous, sépulture de **Soungir** (**URSS**). Des milliers de petites perles enrichissent le costume funéraire.

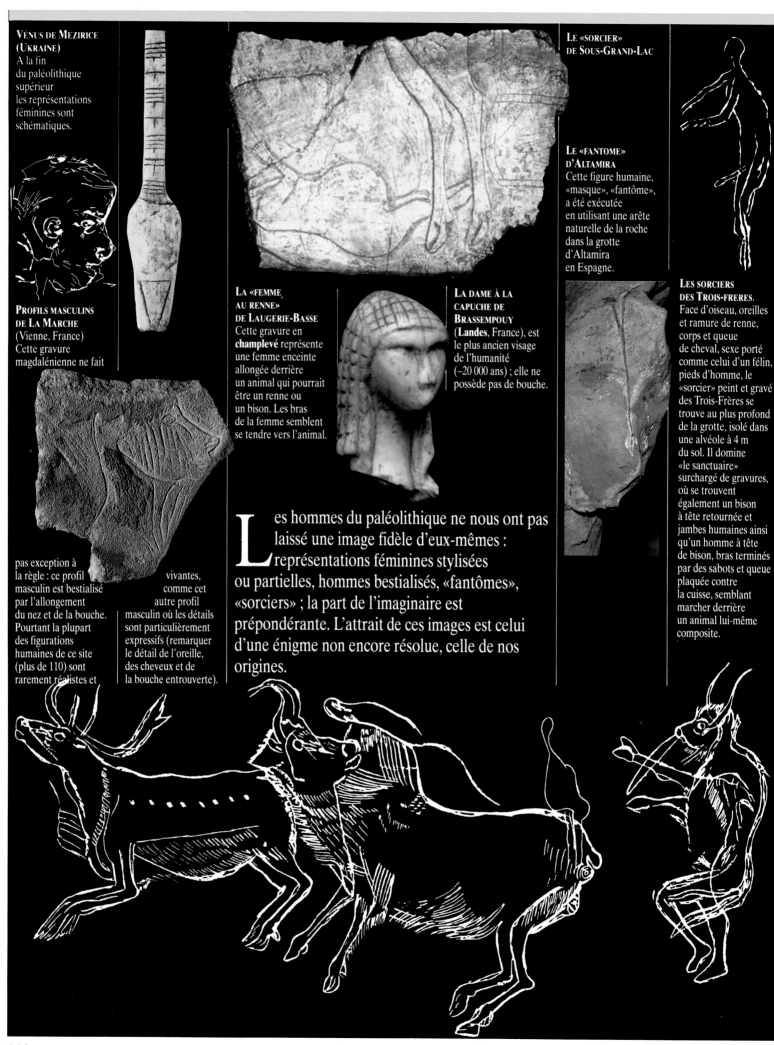

VÉNUS DE MEZIRICE (UKRAINE)
A la fin du paléolithique supérieur les représentations féminines sont schématiques.

PROFILS MASCULINS DE LA MARCHE (Vienne, France) Cette gravure magdalénienne ne fait pas exception à la règle : ce profil masculin est bestialisé par l'allongement du nez et de la bouche. Pourtant la plupart des figurations humaines de ce site (plus de 110) sont rarement réalistes et vivantes, comme cet autre profil masculin où les détails sont particulièrement expressifs (remarquer le détail de l'oreille, des cheveux et de la bouche entrouverte).

LA «FEMME AU RENNE» DE LAUGERIE-BASSE Cette gravure en **champlevé** représente une femme enceinte allongée derrière un animal qui pourrait être un renne ou un bison. Les bras de la femme semblent se tendre vers l'animal.

LA DAME À LA CAPUCHE DE BRASSEMPOUY (**Landes**, France), est le plus ancien visage de l'humanité (–20 000 ans) ; elle ne possède pas de bouche.

LE «SORCIER» DE SOUS-GRAND-LAC

LE «FANTOME» D'ALTAMIRA Cette figure humaine, «masque», «fantôme», a été exécutée en utilisant une arête naturelle de la roche dans la grotte d'Altamira en Espagne.

LES SORCIERS DES TROIS-FRERES. Face d'oiseau, oreilles et ramure de renne, corps et queue de cheval, sexe porté comme celui d'un félin, pieds d'homme, le «sorcier» peint et gravé des Trois-Frères se trouve au plus profond de la grotte, isolé dans une alvéole à 4 m du sol. Il domine «le sanctuaire» surchargé de gravures, où se trouvent également un bison à tête retournée et jambes humaines ainsi qu'un homme à tête de bison, bras terminés par des sabots et queue plaquée contre la cuisse, semblant marcher derrière un animal lui-même composite.

Les hommes du paléolithique ne nous ont pas laissé une image fidèle d'eux-mêmes : représentations féminines stylisées ou partielles, hommes bestialisés, «fantômes», «sorciers» ; la part de l'imaginaire est prépondérante. L'attrait de ces images est celui d'une énigme non encore résolue, celle de nos origines.

Premiers paysans, premiers artisans

STONEHENGE
Dans le sud de l'Angleterre, une construction complexe, en très grosses pierres, a été édifiée au néolithique et au début de l'âge du bronze. Ce monument mégalithique était sans doute un observatoire astronomique.

Nous sommes au néolithique (à partir de –6000 en Europe) et la nature est presque semblable à celle que nous connaissons... C'est la période où l'homme apprend à polir la pierre et parvient peu à peu à maîtriser son environnement. Avec ses nouveaux outils, il défriche la forêt et construit des villages ; en véritable paysan, il élève du bétail et cultive des céréales. Une nouvelle technique, la métallurgie, le fera entrer dans l'âge du bronze (vers –1800).

La **hache** polie est l'emblème même du néolithique (du grec *neos* : nouveau, et *lithos* : pierre). Elle peut être un outil ou, comme celle-ci, un objet de prestige dont la ligne est très soignée et le poli parfait. Le bracelet, ci-contre, est coulé en bronze. Ce métal a, sur la pierre, la supériorité d'être malléable et donc de prendre des formes plus complexes.

Au **Grand-Pressigny**, en Touraine, de longues lames étaient taillées dans un silex de très bonne qualité (ci-dessus) et exportées, parfois très loin. D'autres pierres, ainsi que des matières plus fragiles aujourd'hui décomposées, commencent alors à circuler largement. Les hommes aussi voyagent : certaines îles, comme la Corse, sont peuplées pour la première fois.

CIRCUITS D'EXPORTATION DES MATIÈRES PREMIÈRES

Domestiquer la nature

Jusqu'au VIIIᵉ millénaire avant Jésus-Christ au Proche-Orient et jusqu'au VIᵉ millénaire en Europe, l'homme vivait en prédateur, de chasse, de pêche et de cueillette. Au néolithique, son mode de vie change profondément : il produit lui-même sa nourriture en élevant du bétail et en cultivant la terre. L'orge, plusieurs espèces de blé et d'autres plantes poussent naturellement au Proche et au Moyen-Orient, dans le «croissant fertile», zone qui s'étend de la côte méditerranéenne au nord de la Syrie et à la Mésopotamie. On y trouve, à l'état sauvage, des moutons, des chèvres, des porcs et des bœufs. Les premiers animaux et plantes domestiques apparus en Europe viennent de ces régions à travers le bassin méditerranéen ou en suivant le cours du Danube. Grâce à l'élevage, les hommes s'assurent une réserve alimentaire toujours disponible ; les animaux leur fournissent, en plus de la viande, du lait, du cuir et de la laine.

Au Proche-Orient, la fondation des premiers villages précède l'élevage et l'agriculture ; en Europe, ils sont souvent simultanés. Mais ces trois aspects sont étroitement liés : le berger et surtout le paysan ont besoin d'un habitat fixe.

La traction animale apparaît au IIIᵉ millénaire. Il en est de même pour l'**araire**, représenté un peu plus tard sur les gravures rupestres de la **vallée des Merveilles** (Alpes-Maritimes, France). La roue en bois est celle d'un chariot.

Les premières mines de silex souterraines furent creusées dans la craie grâce à des pics en bois de cerf ou en silex.

Les puits pouvaient atteindre 20 m de profondeur.

Les mineurs se glissaient dans des galeries rayonnantes pour détacher de gros rognons de silex. Cette exploitation semi-industrielle engendrait des circuits d'exportation parfois très vastes.

Polir des haches creuse de profondes rainures dans le grès.

Des pierres semi-précieuses, **jadéites** et **variscites** surtout, sont transformées en objets trop beaux pour être utilitaires. Ces haches, ces larges anneaux plats, ces perles sont des objets de prestige, symboles, sans doute, d'un pouvoir particulier.

Bœufs, porcs, moutons et chèvres constituent le cheptel néolithique. En Europe, le mouton domine dans les régions méditerranéennes, tandis que, plus au nord, les bovins l'emportent.

Ces animaux domestiques ont d'abord été considérés comme des réserves de nourriture, tout simplement parqués avant d'être abattus. Par la suite, on apprit à les traire, à les tondre, à les utiliser pour tirer ou porter des charges.

Le chien avait sans doute été domestiqué à la fin du paléolithique, et le cheval le sera au tout début de l'âge du bronze.

Ce mors en bois de cerf est un des plus anciens : il date de la fin du IIIᵉ millénaire et provient d'**Isles-les-Meldeuses**, dans la région parisienne.

Des pierres polies sont forcées dans des gaines en bois de cerf, elles-mêmes fixées sur des manches en bois, selon des modes variés.

LA FAUCILLE :
une lame de silex, collée au goudron végétal dans la fente d'un manche en bois, de forme courbe pour rassembler les épis (à droite).

Engrain

Amidonnier

Orge

Blé dur

Millet

Féverole

Parallèlement à cette nouvelle organisation socio-économique, le néolithique se caractérise par un certain nombre d'innovations techniques majeures : la céramique, le polissage de la pierre ainsi que le tissage. La céramique permet de stocker des réserves et de cuire facilement des aliments liquides. Le polissage offre la possibilité d'employer des roches moins dures que le silex car les pierres affûtées ont une bien meilleure résistance aux chocs. Le tissage des fibres animales et végétales (la laine et le lin) fait son apparition.

Les bouillies de céréales, les soupes de légumes, le pain (sorte de galette sans levain) font partie du régime alimentaire du paysan néolithique, tout comme les produits de la cueillette (noisettes et pommes, notamment), de la chasse et de la pêche.

Les récipients en terre cuite peuvent être posés à même le feu. Ce mode de cuisson remplace la technique de la pierre de chauffe (les pierres étaient chauffées puis jetées dans les récipients en peau).

L'argile est un matériau facile à trouver et à travailler. Cela explique l'usage quotidien de la céramique à partir du néolithique. Des boudins d'argile roulés à la main sont montés en spirale.

Cette technique, dite du **colombin,** est la plus courante.

Le vase achevé, on le lisse avec un galet pour égaliser la surface et l'imperméabiliser.

Le décor peut être appliqué avant ou après la cuisson. Une fois sec, le vase est cuit, à une température de 600 à 700 °C. Le four du potier existera à la fin de l'âge du bronze.

Cette **faisselle** servait à faire du fromage.

Chaque village façonne et décore les vases selon ses traditions. Ces pots sont fragiles : vite cassés et remplacés, ils témoignent de l'évolution des modes.

Les variations dans l'espace et le temps sont ainsi très instructives pour l'archéologue. Les dessins rendent plus lisibles les décors et soulignent les formes.

La vie au village

Au Vᵉ millénaire avant notre ère, de la mer Noire à la mer du Nord, les premiers paysans construisent de longues maisons rectangulaires en bois et en torchis, de 10 à 40 mètres de long sur 6 à 8 mètres de large. Ils vivent dans des villages de cinq à six maisons chacun, abritant une centaine de personnes. Outils, vaisselle et vêtements, le groupe familial fabrique presque tout ce dont il a besoin.

Des poteaux de bois fichés en terre forment l'ossature de la maison. Le long des murs, des fosses sont creusées : l'argile extraite, mêlée à de la paille est piétinée pour fabriquer le torchis des murs. Les fosses servent ensuite de poubelles : c'est là que l'on retrouve les vases ou les outils cassés et jetés. Les trous de poteaux et les fosses, d'une couleur différente de celle du sol alentour, permettent de reconstituer les maisons.

LES VILLAGES LACUSTRES

Sous les eaux des lacs, où le bois immergé se conserve remarquablement, on retrouve de véritables forêts de pieux. Si les hommes du néolithique ont parfois bâti des maisons sur pilotis, ils se sont surtout établis en bordure des lacs. La montée naturelle des eaux ou les barrages ont noyé ces villages (les **palafittes**). On a souvent construit au même emplacement plusieurs villages successifs, parfois une dizaine, et il est difficile de trier tous les poteaux. La **dendrochronologie**, par le comptage des **cernes** de croissance annuelle des arbres, permet de dire quand a été taillé un poteau. Les poteaux de même âge sont reliés pour dessiner le plan d'une maison puis d'un village. Et l'ordre de succession des habitations est ainsi reconstitué.

Une femme, au premier plan, dépèce un animal ; un homme racle une peau qu'il a enduite d'ocre pour qu'elle soit plus soigneusement tannée.

Les vases sont façonnés à la main, puis déposés dans une petite fosse qu'on recouvrira de branchages et même de terre pour mieux concentrer la chaleur lors de la cuisson. Les fournées n'étaient pas importantes : seulement quelques récipients à la fois.

Le lin et certaines plantes sauvages, ainsi que la laine – qui n'existe que sur le dos des moutons domestiques – sont utilisés pour tisser les vêtements. La technique est simple. On sait, en outre, que la teinture existait.

Au IVᵉ millénaire, certains villages sont retranchés sur des éperons rocheux, protégés par un fossé ou un rempart. En plaine ou sur des hauteurs, on trouve des constructions assez énigmatiques : ce sont des enceintes, à plusieurs entrées, constituées d'un fossé doublé d'une palissade. Elles ont pu servir d'habitat, de lieu de pèlerinage ou de place commerciale...

Un gros galet broie, par un mouvement de va-et-vient, le grain déposé sur une meule, grosse pierre, plate sur le dessus, souvent en granite.

La farine est recueillie sur la peau ou la natte placée en-dessous ou dans un récipient posé à une extrémité. Certaines populations utilisent encore ce type de meule.

Tandis qu'un chasseur taille une flèche, son compagnon répare sa hache. Derrière lui, une ramure de cerf, bois de chute ramassé lors de la mue de la bête ou bois de massacre conquis à la chasse, attend d'être débitée.

Sur le pas de la porte, une femme moud le grain sur une petite meule portative. A ses côtés, une autre travaille sur un métier à tisser rudimentaire. A droite, on nourrit les cochons ; ce sont de bons éboueurs. Au centre, un paysan verse dans un silo creusé dans le sol ses provisions de grains.

Dans le sud-est de l'Europe, on connaît de nombreuses statuettes féminines en terre cuite, en os ou même en pierre. Parfois très schématiques, ces figurines n'ont de féminin que la largeur de hanches et une poitrine à peine développée, comme cette statuette roumaine couverte d'un décor profondément gravé.

La statuette ci-dessus, également en terre cuite, vient de Yougoslavie ; un décor gravé et peint dessine l'anatomie et peut-être des vêtements. Ces statuettes constituent une expression très caractéristique de l'art et de la religion néolithiques. On peut sans doute expliquer le grand nombre des représentations féminines par l'importance des cultes de la fertilité.

Les mégalithes

En Europe occidentale, du sud de l'Espagne à la Scandinavie, et des îles Britanniques au sud de l'Italie, d'énormes monuments mégalithiques datent du néolithique.

Le terme de «mégalithe» (du grec *mega* : «grand» et *lithos* : «pierre») a été adopté pour désigner des constructions tout à la fois en grosses dalles ou en pierres sèches (petites pierres assemblées sans ciment).

On rattache également au mégalithisme les menhirs (pierres dressées, isolées ou groupées, d'une hauteur variant de 1 m à 12 m) dont la signification nous est encore mal connue.
Il semble que les cromlechs (cercles de menhirs) et les alignements aient servi d'observatoires astronomiques.

Les dolmens sont des monuments funéraires. Des ossements ainsi que des offrandes, notamment des céramiques et des objets en pierre, y ont été découverts.
La chambre funéraire, qui peut être circulaire ou prendre des formes diverses, et le couloir d'accès constituent le cœur de l'édifice, comme on le voit sur le plan de Barnenez. Les dolmens sont enchâssés dans un amoncellement de pierraille – le «cairn» – ou de terre – le «tumulus».
A Newgrange (Irlande), par exemple, le tumulus mesure environ 80 mètres de diamètre et la chambre funéraire 25 mètres de long.
On a longtemps cru les mégalithes inspirés des pyramides d'Egypte (IIIe millénaire) ou des tombes de Mycènes en Grèce (milieu du IIe millénaire). Mais, dans les années 1960, ils furent reconnus comme les premiers témoignages d'architecture monumentale : les plus anciens datent de –4000 environ.
Les hommes du néolithique ont d'abord enseveli leurs morts dans des fosses individuelles creusées dans la terre. A partir du IIIe millénaire, des sépultures collectives peuvent renfermer plusieurs centaines de corps.

CARNAC
Pour certains, les néolithiques ont utilisé le triangle rectangle et une unité de longueur de 0,829 m, le «**yard mégalithique**», pour édifier les alignements du Ménec à Carnac, et en faire un observatoire astronomique.

MALTE
Le mégalithisme prend dans les îles de la Méditerranée un visage particulier.

A Malte, existent plusieurs ensembles de temples construits en très gros blocs et dont le plan est caractéristique. Des représentations féminines, parfois colossales, y ont été découvertes.

La pierre leuee demie lieue de Poictiers

BARNENEZ
(Plouézoc'h, Finistère)
L'arrière
du «Parthénon
des Bretons», selon
le terme d'**André
Malraux**, a été utilisé
comme carrière.
Onze **dolmens** («tables
de pierre» en breton),
construits en gros blocs
et en pierres sèches,
sont recouverts
d'un énorme **cairn**,
long de 90 m. Ils ont
été construits en deux
fois : on voit nettement
la suture entre les
cairns des deux groupes
de 5 et de 6 dolmens.

ART ET LITTÉRATURE
Dès le XVIe siècle, les
croyances populaires
associent volontiers
aux mégalithes les êtres
surnaturels : **sainte
Geneviève** gardant
ses moutons,
ou **Pantagruel**,
constructeur, selon
Rabelais, du dolmen
de la Pierre Levée.

Ce dolmen sarde
est aujourd'hui bien
dépouillé : à l'origine,
il était recouvert d'une
chape, comme celui
de Barnenez.

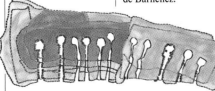

Toujours implantés dans
un paysage très dégagé
où la forêt a été
défrichée, et souvent
sur des hauteurs, les mégalithes
se voient de loin. Ils semblent régner sur un
territoire. Leur emplacement matérialisait, pense-
t-on, l'espace que contrôlait une communauté
paysanne. On songe, bien sûr,
aux cathédrales
du Moyen Age qui,
de loin, annonçaient
la ville, où tous les fidèles
d'une même communauté
se regroupaient, mais où seuls les dignitaires
avaient leur sépulture.
Il est souvent difficile de préciser
le nombre d'individus inhumés
dans un mégalithe, mais on sait
qu'ils n'étaient que quatre
ou cinq à Newgrange.

Dans les villages, aucune maison
ne se distingue des autres, ni par sa taille,
ni par son équipement. De même,
le mobilier funéraire
retrouvé dans
les sépultures
mégalithiques ne révèle aucune richesse
particulière. Il ne semble pas qu'il y ait eu
des hommes plus riches que d'autres.
Alors, quels étaient donc
ces hommes que leur
communauté semblait
distinguer jusque dans la mort?
L'énigme subsiste encore et on ne
peut émettre que des hypothèses.
Ceux qui dirigeaient la construction d'un
mégalithe devaient avoir de réelles compétences
techniques. Il leur fallait, en outre, une certaine
autorité morale et spirituelle pour rassembler
et diriger une main-d'œuvre
importante. Le pouvoir et
le prestige que leur conférait
une telle fonction laissent
à penser qu'ils furent ceux
pour qui les mégalithes
ont été construits.

La Roche-aux-Fées,
en **Bretagne**, est un
des plus beaux dolmens
français. La plus grosse
des 41 dalles pèse
près de 50 tonnes.

A **Los Millares**, dans
le sud de l'**Espagne**,
les constructeurs de ces
tombes fondent déjà
le cuivre, vers –2500.

Le **Portugal** est,
avec la Bretagne,
un des premiers centres
mégalithiques (dolmen
de **Anto do Dilva**).

A
Newgrange,
en **Irlande**,
et à **West Kennet**,
en **Angleterre**,
les chambres funéraires
n'occupent qu'une
place assez réduite sous
un énorme tumulus.
Stonehenge est le plus
célèbre des cercles
de pierres, constructions
typiques des îles
Britanniques.

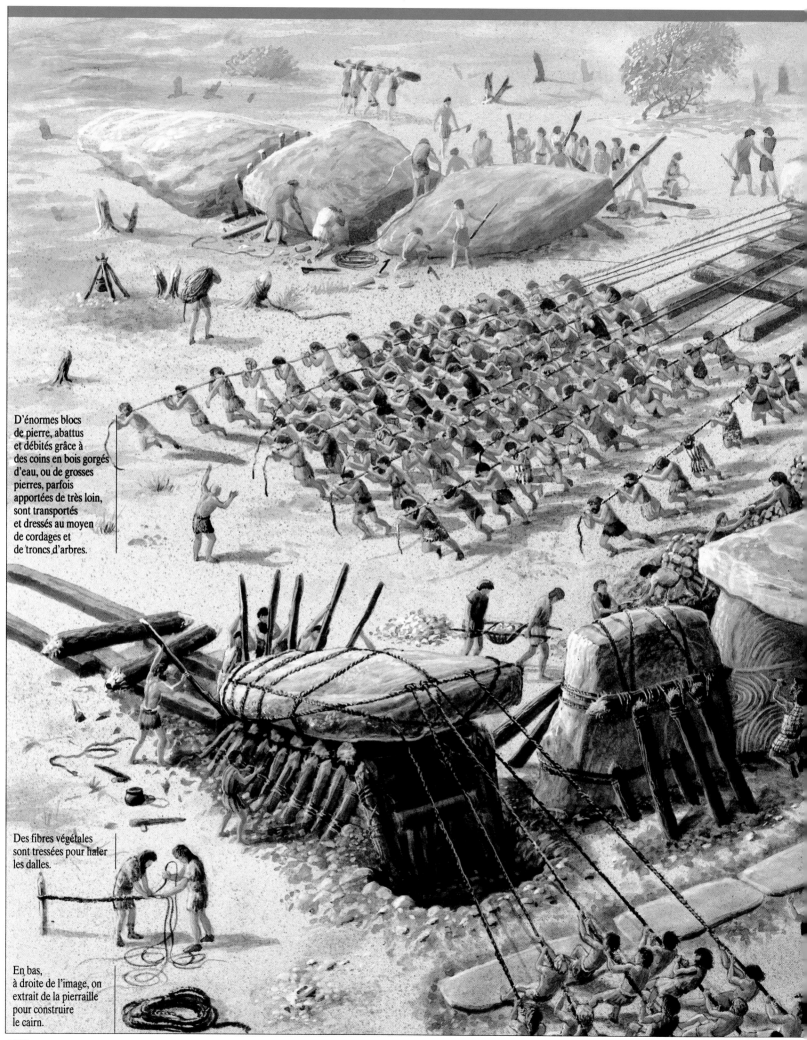

D'énormes blocs de pierre, abattus et débités grâce à des coins en bois gorgés d'eau, ou de grosses pierres, parfois apportées de très loin, sont transportés et dressés au moyen de cordages et de troncs d'arbres.

Des fibres végétales sont tressées pour haler les dalles.

En bas, à droite de l'image, on extrait de la pierraille pour construire le cairn.

La construction d'un mégalithe

Le couloir et la chambre funéraire sont construits en grosses dalles, en pierres sèches, ou avec les deux à la fois. L'ensemble est ensuite recouvert d'une énorme masse de terre et de pierraille savamment ordonnée.

Artisans...

L'homme employa tout d'abord les métaux natifs qu'il trouvait dans la nature : le cuivre, en Orient, dès le IXᵉ millénaire avant Jésus-Christ, l'or un peu plus tard. Mais la véritable métallurgie apparaît au VIIᵉ millénaire en Orient et vers –2000 en Europe occidentale. Elle comporte deux opérations successives. L'artisan commence par transformer en métal les minerais extraits de mines souterraines. Ensuite, il peut le fondre et le mouler pour façonner des objets. Alliage de 10 % d'étain pour 90 % de cuivre, en moyenne, le bronze est plus facile à travailler que le cuivre pur : il fond à plus basse température et se solidifie moins vite. Nombreux sont les avantages du bronze qui, plus résistant, permet de réaliser des objets plus grands aux formes plus compliquées.

En Europe, l'âge du bronze dure de –1800 à –750 environ. Les gisements de cuivre et surtout d'étain sont assez rares, mais de nombreux courants d'échange traversent l'Europe : on troque, par exemple, de l'étain breton contre de l'ambre baltique. C'est ainsi que la Scandinavie, dépourvue de gisements métallifères, connaît cependant un âge du bronze très dynamique.

LE CUIVRE
Trouvées en Bretagne, mais plus fréquentes en Europe du Nord, ces haches en cuivre sont avant tout des armes de prestige. Le cuivre est, avec l'or, le premier métal utilisé, d'abord natif et martelé à froid, puis extrait de minerais exploités en mines et coulé. Il servait surtout à fabriquer de petits objets, car il est assez difficile à travailler et peu résistant. Ces haches illustrent la maîtrise technique qui était celle des premiers métallurgistes. Les premiers bronziers, eux, commenceront par faire moins bien, avant de manifester tout leur talent.

Au début de l'âge du bronze, les pointes de flèches en silex sont très fines. L'**ambre** baltique, façonné en perles, circule dans toute l'Europe. Les objets en bronze sont encore rares.

A **Marmesse** (Haute-Marne, France), ont été découvertes, emboîtées trois par trois, plusieurs cuirasses en bronze. La raison de ce regroupement nous échappe, mais il faut souligner que les dépôts d'armes ne sont pas rares à cette époque. Faite de deux tôles de bronze battues et rivetées, cette cuirasse porte un décor de bossettes qui souligne l'anatomie du guerrier.

L'âge du bronze est aussi **l'âge de l'or**. Sont alors exécutés de splendides bijoux comme cette **lunule**, collier plat en croissant de lune, typique de l'Irlande et de la Bretagne.

Le cuivre et l'étain sont fondus dans un creuset, en terre cuite ou en pierre, muni d'un bec verseur. Le bronze ainsi obtenu est coulé dans un moule en pierre, en terre cuite ou en bronze, pour la production d'objets ou de lingots.

De gauche à droite, présentées avec leurs moules : une hache et des épingles. Ci-dessus, deux petits lingots.

Ces deux épées datent du **bronze final** : on sait alors fondre de longues lames bien solidaires de leurs poignées.

A la phase moyenne de l'âge du bronze, apparaissent les premiers outils. Cette lame de faucille était fixée à un manche en bois aujourd'hui disparu.

...et guerriers

La société évolue. Le groupe familial continue toujours de produire l'essentiel de ce qu'il consomme, mais à côté des paysans, on trouve des mineurs, des bronziers et des colporteurs. Le bronzier, maître du métal et du feu, acquiert une place privilégiée. L'exigence nouvelle du contrôle des mines et des routes commerciales favorise l'émergence d'une autre classe sociale, celle des guerriers. Et c'est essentiellement pour cette aristocratie guerrière que travaillent les bronziers. Si le néolithique est un monde relativement égalitaire, l'âge du bronze est marqué par une nouvelle hiérarchie sociale.

L'architecture change peu mais, à côté des villages de plaine et des palafittes en bordure de lacs, on voit apparaître, à l'âge du bronze final, de plus en plus de villages édifiés sur des hauteurs et protégés par des remparts de pierre ou de bois. Il s'agit, sans doute, de répondre à l'insécurité croissante et de mieux contrôler les axes commerciaux. De plus, à cette époque où l'agriculture se spécialise, les paysans s'installent en montagne et développent l'élevage des moutons et des bœufs.

L'âge du bronze final est généralement appelé le «bel âge du bronze». En quantité et en qualité, sa production est étonnante. Armes, outils et bijoux illustrent la place prise par le métal dans tous les domaines. Les couteaux étaient variés, mais la fourchette n'existait pas encore.

Des **fibules** (sortes de broches) fermaient les vêtements. Le rasoir ci-dessus n'en est peut-être pas un, mais sa fonction nous échappe. Deux pointes de flèches, un élément de mors et deux

longues pointes de lances évoquent le monde nouveau des guerriers à cheval. Tous ces objets sont en bronze. Plus tard, à l'**âge du fer**, les outils seront en fer et le bronze sera réservé aux objets de luxe.

VILLAGE DE HAUTEUR
Les murs des maisons mitoyennes de ce village suisse (**Sissach**), reconstitué partiellement, sont construits en rondins de bois sur un soubassement de pierres. Les toits de planches et de branchages sont renforcés par de lourdes pierres.

Formé de deux tôles de bronze assemblées par des rivets, ce casque se portait comme l'indique le dessin. Un panache en ornait la crête et accentuait l'air redoutable du guerrier. Il a été trouvé dans la Seine (France). Nombreuses sont les armes de cette période draguées dans les rivières : plus que d'armes perdues au combat, il s'agit sans doute d'offrandes aux dieux.

LES OUTILS DU BRONZIER

On ne sait trop pourquoi, mais les cachettes d'objets en bronze – pièces intactes ou déchets récupérés pour être fondus – sont fréquentes à cette époque.

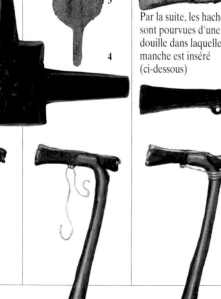

A **Porcieu-Amblagnieu** (Isère, France), un artisan avait mis à l'abri ses outils. Il y avait : une pierre à aiguiser (1), deux ciseaux destinés à décorer (2 et 3), une enclume que l'on fichait sur le billot par l'une ou l'autre extrémité (4), une petite scie (5).

Ces haches en bronze étaient toutes fixées sur un manche coudé et non pas droit comme aujourd'hui. De haut en bas, nous suivons l'amélioration des techniques d'emmanchement au fil du temps.
Au préalable, les haches étaient coincées dans l'extrémité fendue en deux du manche et ligaturées (ci-dessous).

Par la suite, les haches sont pourvues d'une douille dans laquelle le manche est inséré (ci-dessous)

Les maîtres du feu

Le bronzier travaille du métal, parfois importé de très loin, sous forme de lingot. Il peut également refondre des objets cassés ou démodés, qu'il récupère. C'est ainsi que, dans les cachettes de bronziers, voisinent des pièces de rebut et des lingots neufs.

L e bronzier est respecté et craint, tel un magicien. Il moule, travaille au marteau et décore finement armes, outils et bijoux. Par le polissage, il leur donne la couleur et l'éclat de l'or.

Homère, témoignant du prestige attaché à la possession du bronze, source de richesse et de puissance, raconte que Nestor, roi de Pylos, en Grèce, employait à lui seul trois cents bronziers.

LES DIFFÉRENTES PHASES DU TRAVAIL DU BRONZE

1. Coulée du métal en fusion dans un moule enterré pour qu'il n'éclate pas.
2. L'objet est démoulé. On distingue très nettement, à droite de l'artisan, les deux parties du moule maintenues par une courroie, puis séparées pour en sortir l'objet : ici, une hache.
3. Au marteau et au ciseau, le bronzier procède à l'ébarbage (il enlève les bavures qui se sont glissées dans les fentes du moule).
4. Sur l'enclume, les ornements sont ciselés.
5. Le polissage est l'opération finale. Il permet de donner au bronze l'éclat de l'or.

Cette hache comporte des rebords latéraux rabattus sur le manche en bois pour le maintenir solidement. Un lien fixé au petit anneau évitait de perdre l'outil si celui-ci se démanchait.

LE CONE D'AVANTON (Vienne, France) est sans doute un objet de culte, un **bétyle**. Il est fait d'une feuille d'or ornée de cercles concentriques qui devait recouvrir une armature en bois ou en pierre.

GRAVURES RUPESTRES
Ci-dessus, voici les grands rochers polis par les glaciers et gravés par les hommes, dans la vallée des Merveilles au pied du **mont Bego** (Alpes-Maritimes, France). A gauche, ces guerriers en armes et ces bateaux sont typiques de la Scandinavie.

UN GUERRIER CORSE
Massif, armé d'une longue épée et d'un poignard, ce guerrier est taillé dans le granite. Il fait partie d'un groupe propre à la Corse. Par opposition aux statues-menhirs néolithiques (page 121), il symbolise les temps nouveaux où dominent l'homme et la guerre. Dans les îles de la Méditerranée (Baléares, Corse, Sardaigne), il existe, à l'âge du bronze, des statues, mais surtout de grandes constructions qui perpétuent la tradition mégalithique.

Rites funéraires et croyances

Alors que les sépultures de la fin du néolithique étaient collectives, celles de l'âge du bronze redeviennent individuelles. Cette évolution est le reflet d'une société où l'individu reprend le pas sur le groupe. Au début du IIe millénaire avant Jésus-Christ, en Bretagne, dans le Wessex (Angleterre) mais aussi en Saxe (Allemagne), quelques petits princes acquièrent, grâce au commerce, une puissance et une richesse de courte durée. Les belles armes en bronze, les bijoux, et même parfois la vaisselle ou les vêtements en or trouvés dans leurs tombes, signalées par des tumulus, témoignent de cette gloire très brève. C'est à cette époque que Stonehenge est achevé.

Vers le milieu du IIe millénaire, s'épanouit, surtout en Europe centrale, la civilisation dite «des tumulus». Ces tertres se multiplient et constituent de grandes nécropoles ; les sépultures luxueuses sont plus rares, mais certaines, parfois, se distinguent par leur mobilier (armes et parures en bronze, céramiques fines et décorées).

CULTE SOLAIRE
Le chariot en bronze et or de **Trundholm** (Danemark) représente le char du Soleil. L'éclat de l'or et le motif du cercle suggèrent, comme pour le cône d'Avanton, le feu et la forme du soleil. Cette image du char évoquant la course du soleil connaîtra une grande faveur avec **Apollon**, le dieu grec de la Lumière. Le cheval, domestiqué à l'âge du bronze, et la roue rappellent qu'alors la circulation des hommes et des idées était intense.

Le fouilleur de la sépulture de **la Colombine** (Yonne, France) a dessiné l'emplacement, au moment de la découverte, des bijoux que portait la défunte. Parmi ceux-ci, il est un objet rare : une défense de sanglier enchâssée dans une **résille** de bronze.

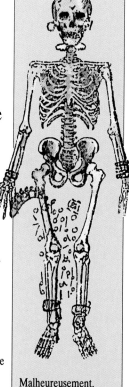

Malheureusement, sa position, près de la hanche droite du squelette, ne nous éclaire pas sur sa fonction. Deux **jambières** en bronze, formées d'un bandeau plat prolongé par deux spirales très régulières, enserraient les mollets.

A ces parures fort lourdes s'ajoutent plusieurs bracelets et épingles. Par sa richesse, cette sépulture témoigne du statut social élevé de cette jeune femme.

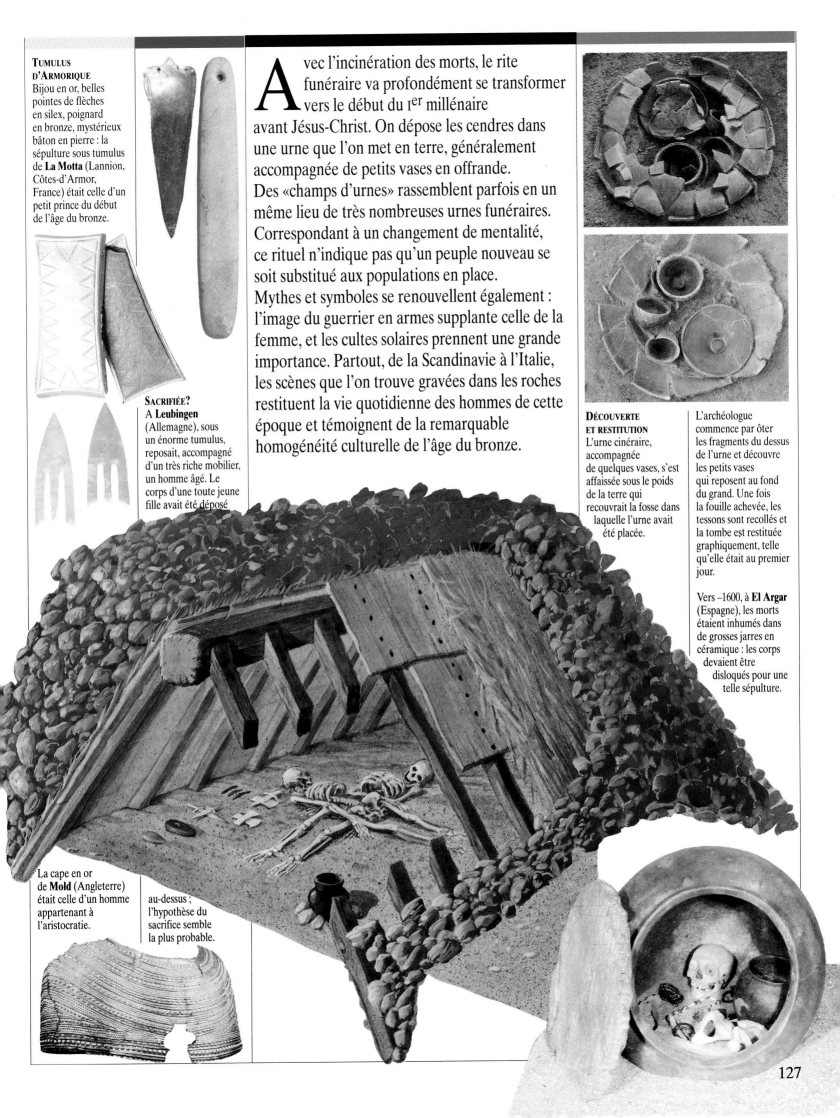

TUMULUS D'ARMORIQUE
Bijou en or, belles pointes de flèches en silex, poignard en bronze, mystérieux bâton en pierre : la sépulture sous tumulus de **La Motta** (Lannion, Côtes-d'Armor, France) était celle d'un petit prince du début de l'âge du bronze.

SACRIFIÉE ?
A **Leubingen** (Allemagne), sous un énorme tumulus, reposait, accompagné d'un très riche mobilier, un homme âgé. Le corps d'une toute jeune fille avait été déposé au-dessus ; l'hypothèse du sacrifice semble la plus probable.

La cape en or de **Mold** (Angleterre) était celle d'un homme appartenant à l'aristocratie.

Avec l'incinération des morts, le rite funéraire va profondément se transformer vers le début du 1er millénaire avant Jésus-Christ. On dépose les cendres dans une urne que l'on met en terre, généralement accompagnée de petits vases en offrande. Des «champs d'urnes» rassemblent parfois en un même lieu de très nombreuses urnes funéraires. Correspondant à un changement de mentalité, ce rituel n'indique pas qu'un peuple nouveau se soit substitué aux populations en place. Mythes et symboles se renouvellent également : l'image du guerrier en armes supplante celle de la femme, et les cultes solaires prennent une grande importance. Partout, de la Scandinavie à l'Italie, les scènes que l'on trouve gravées dans les roches restituent la vie quotidienne des hommes de cette époque et témoignent de la remarquable homogénéité culturelle de l'âge du bronze.

DÉCOUVERTE ET RESTITUTION
L'urne cinéraire, accompagnée de quelques vases, s'est affaissée sous le poids de la terre qui recouvrait la fosse dans laquelle l'urne avait été placée.

L'archéologue commence par ôter les fragments du dessus de l'urne et découvre les petits vases qui reposent au fond du grand. Une fois la fouille achevée, les tessons sont recollés et la tombe est restituée graphiquement, telle qu'elle était au premier jour.

Vers –1600, à **El Argar** (Espagne), les morts étaient inhumés dans de grosses jarres en céramique : les corps devaient être disloqués pour une telle sépulture.

DIEUX D'ARGILE

La figure humaine, rare au paléolithique, commence à prendre plus d'importance au néolithique.

L'obésité de cette divinité endormie, trouvée à Malte, est un signe de prospérité.

Les femmes dominent, figures schématiques ou au contraire hypertrophiées.

Le petit char en terre cuite de **Dupljaja** (Yougoslavie) évoque, comme celui de Trundholm (page 126), le culte du Soleil. Curieusement, ce dieu masculin, qui va désormais triompher, porte une jupe.

RECONSTITUTION

expérimentale et exemple ethnographique

offrent différents modèles possibles pour reconstruire le passé.

UN ART ANIMALIER

La nécropole de **Koban,** dans le Caucase, a livré plusieurs milliers d'armes et de parures en bronze, ainsi que quelques éléments en fer, datés de –1000 environ. L'ornementation des objets privilégie les animaux, comme

on le voit sur cette longue épingle en bronze qui représente une chasse au cerf.

IDOLE EN MARBRE

Au IIIe millénaire, les **Cyclades** (Grèce) ont produit de nombreuses statuettes en marbre blanc dont la stylisation a séduit les sculpteurs modernes.

RASOIR EN BRONZE

Ce rasoir danois, au tranchant légèrement émoussé et dont le manche se termine en spirale, illustre le savoir-faire des bronziers d'Europe septentrionale. Son décor gravé figure un bateau comme sur les roches gravées des mêmes régions.

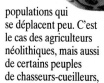

LE PREMIER ART DU FEU

La céramique, fragile, relativement lourde et encombrante, n'est commode d'emploi que pour des

tels les pêcheurs **Jômon,** dans le nord du Japon préhistorique (ci-contre).

Le décor du bol trouvé à **Videlles**, près de Paris, a été inventé en Allemagne du Sud. Les modes s'exportent largement à l'âge du bronze. Auparavant, les vases néolithiques portaient un décor imprimé dans la pâte (page 115) ou peint.

populations qui se déplacent peu. C'est le cas des agriculteurs néolithiques, mais aussi de certains peuples de chasseurs-cueilleurs,

Les motifs géométriques colorés sont propres au sud-est de l'Europe : la coupe ci-dessus provient de **Sesklo** (Grèce).

Le néolithique : une révolution

Pendant des centaines de millénaires, l'homme a vécu en chasseur. Avec le néolithique, apparaît un mode de vie nouveau qui touche le monde entier, à quelques exceptions près (Eskimos, Aborigènes d'Australie). En moins de 10 000 ans, les premières cités, l'invention de l'écriture, le perfectionnement des outils, l'avènement des premières machines, etc., verront le jour et aboutiront à la révolution industrielle...

«Le retour des chasseurs au temps des **lacustres**» (J.-G. Heigi, 1865). Cette

reconstitution est fausse : les villages étaient plus souvent bâtis en bordure de lac qu'au milieu des eaux.

LYRE
Vers 2600 av. J.-C.,
des rois d'**Ur** se font
enterrer avec toute
leur cour et leurs
richesses en or.
Des morceaux de
lyres décorées

de scènes fabuleuses
où l'animal imite
l'homme, tel l'étrange
taureau barbu, ont été
retrouvés dans leurs
tombes. L'instrument
représenté ici
est une reconstitution.

LECTURE
Le «u» des noms
propres se prononce
«ou», à l'exception
de Sumer et de Suse.

De la préhistoire à Sumer

Au cœur du Proche-Orient, qui s'étend
de la Méditerranée au fleuve Indus, se trouve
la Mésopotamie (l'Irak actuel). Cette région, alors
désertique et peu accueillante, se peuple au cours
de la préhistoire. Dès 6000 avant Jésus-Christ,
les progrès techniques, notamment l'irrigation,
permettent le développement de l'agriculture
et de l'élevage. De brillantes civilisations
se succèdent. Au sud, au pays de Sumer,
où se constituent les premières villes, l'invention
de l'écriture fait entrer l'homme dans l'histoire.

BÉLIER D'UR
Ce bélier en or
et **lapis-lazuli** broute
les feuilles d'un arbuste.

RELIEF inscrit
en sumérien au nom
d'**Ur-Nanshé**, roi
de **Lagash** vers
2500 av. J.-C. Les
reliefs perforés sont
des **ex-voto**, plaqués
contre les murs,
qui conservent gravé
le souvenir d'épisodes
importants. Ici, le roi
pose lui-même
la première brique
du temple et préside
au banquet qui fête
l'événement, avec sa
femme et ses enfants.

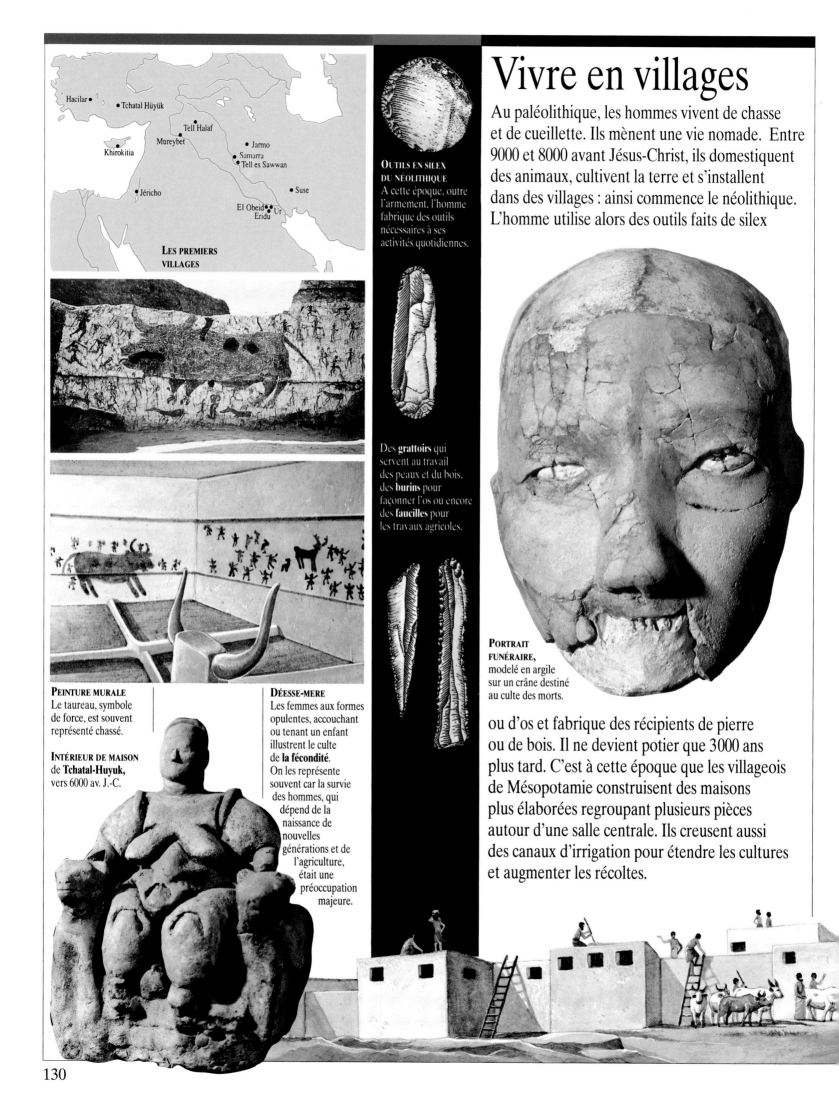

Vivre en villages

Au paléolithique, les hommes vivent de chasse et de cueillette. Ils mènent une vie nomade. Entre 9000 et 8000 avant Jésus-Christ, ils domestiquent des animaux, cultivent la terre et s'installent dans des villages : ainsi commence le néolithique. L'homme utilise alors des outils faits de silex

LES PREMIERS VILLAGES

Hacilar • • Tchatal Hüyük
Tell Halaf
Mureybet • Jarmo
Khirokitia • Samarra
Tell es Sawwan
• Jéricho • Suse
El Obeid • • Ur
Eridu

OUTILS EN SILEX DU NÉOLITHIQUE
A cette époque, outre l'armement, l'homme fabrique des outils nécessaires à ses activités quotidiennes.

Des **grattoirs** qui servent au travail des peaux et du bois, des **burins** pour façonner l'os ou encore des **faucilles** pour les travaux agricoles.

PORTRAIT FUNÉRAIRE,
modelé en argile sur un crâne destiné au culte des morts.

PEINTURE MURALE
Le taureau, symbole de force, est souvent représenté chassé.

INTÉRIEUR DE MAISON
de **Tchatal-Huyuk,**
vers 6000 av. J.-C.

DÉESSE-MERE
Les femmes aux formes opulentes, accouchant ou tenant un enfant illustrent le culte de **la fécondité.**
On les représente souvent car la survie des hommes, qui dépend de la naissance de nouvelles générations et de l'agriculture, était une préoccupation majeure.

ou d'os et fabrique des récipients de pierre ou de bois. Il ne devient potier que 3000 ans plus tard. C'est à cette époque que les villageois de Mésopotamie construisent des maisons plus élaborées regroupant plusieurs pièces autour d'une salle centrale. Ils creusent aussi des canaux d'irrigation pour étendre les cultures et augmenter les récoltes.

Les villageois commencent à s'enrichir et perfectionnent leur artisanat et leurs techniques en utilisant le cuivre martelé pour la première fois. A partir de l'époque dite d'Obeid (lieu de fouilles situé près d'Ur), c'est-à-dire entre 4300 et 3500 avant Jésus-Christ, ils se regroupent en gros villages et construisent de grands bâtiments sur le modèle des maisons à pièce centrale.

MASQUE FUNÉRAIRE

Ces édifices se distinguent du reste du village qu'ils dominent du haut d'une terrasse surélevée, aménagée par les hommes.
Les communautés villageoises du néolithique respectent leurs morts à qui elles rendent parfois un culte en conservant leur crâne. La fécondité, figurée par des statuettes de femmes nues, tient aussi une place importante dans leurs croyances.

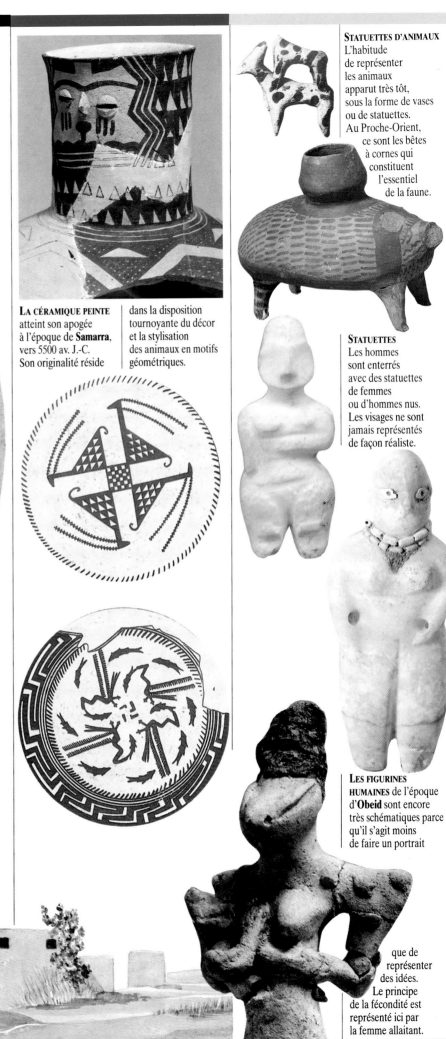

LA CÉRAMIQUE PEINTE atteint son apogée à l'époque de **Samarra**, vers 5500 av. J.-C. Son originalité réside dans la disposition tournoyante du décor et la stylisation des animaux en motifs géométriques.

STATUETTES D'ANIMAUX
L'habitude de représenter les animaux apparut très tôt, sous la forme de vases ou de statuettes. Au Proche-Orient, ce sont les bêtes à cornes qui constituent l'essentiel de la faune.

STATUETTES
Les hommes sont enterrés avec des statuettes de femmes ou d'hommes nus. Les visages ne sont jamais représentés de façon réaliste.

LES FIGURINES HUMAINES de l'époque d'**Obeid** sont encore très schématiques parce qu'il s'agit moins de faire un portrait que de représenter des idées. Le principe de la fécondité est représenté ici par la femme allaitant.

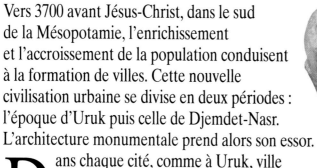

MASQUE EN MARBRE
Les yeux et les sourcils
étaient incrustés.

CACHET ZOOMORPHE
pour imprimer
un décor d'animaux.

ROI-PRETRE NU
Premier témoin de
la royauté, il est parfois
représenté nu dans les
cérémonies religieuses,
en signe de pureté.

La naissance des villes

Vers 3700 avant Jésus-Christ, dans le sud
de la Mésopotamie, l'enrichissement
et l'accroissement de la population conduisent
à la formation de villes. Cette nouvelle
civilisation urbaine se divise en deux périodes :
l'époque d'Uruk puis celle de Djemdet-Nasr.
L'architecture monumentale prend alors son essor.

Dans chaque cité, comme à Uruk, ville
importante et florissante, un temple
est construit sur le modèle
des maisons à salle centrale.
Les murs en brique crue sont
faits d'une succession de niches
et de pilastres (piliers engagés
dans le mur), parfois décorés
de motifs géométriques en
couleur réalisés avec de petits
cônes d'argile enfoncés dans
le mur, comme une grande
mosaïque. Ces temples,
parfois bâtis sur une
terrasse, sont à la fois
la demeure du dieu-patron
de la ville et le centre
administratif placé
sous l'autorité d'un chef.
Le roi de la cité est
également le grand prêtre
des cérémonies.

L'organisation de la société devient complexe car tous les grands travaux d'architecture et d'irrigation qui sont entrepris doivent être coordonnés et répartis entre les habitants. Sous l'autorité de chefs responsables devant le roi, des corps de métier se constituent. Ainsi les hommes qui construisent les grands bâtiments ne peuvent plus être les mêmes que ceux qui sont chargés de creuser et d'entretenir sans cesse les réseaux de canaux. Au «Pays entre les fleuves», c'est-à-dire entre le Tigre et l'Euphrate qui traversent le pays du nord au sud – des montagnes d'Arménie au golfe Persique –, les travaux d'irrigation sont une préoccupation permanente car les crues des deux fleuves sont trop irrégulières pour assurer des récoltes suffisantes pour nourrir une population toujours plus nombreuse.

La spécialisation du travail permet de développer l'économie et les échanges entre les cités mésopotamiennes et les pays de l'Orient et de contrées plus lointaines comme l'Egypte prédynastique. Pour gérer toutes ces activités, les gens du pays de Sumer au sud de la Mésopotamie élaborent un système de comptabilité puis une écriture dès 3300 avant Jésus-Christ. C'est l'époque des grandes inventions : les techniques de fonte du cuivre et la roue sont mises au point, enfin la grande sculpture apparaît.

Le sceau-cylindre – un sceau en forme de petit rouleau – taillé dans la pierre et perforé pour pouvoir être suspendu au cou, est utilisé pour la première fois. Le décor est gravé sur toute la surface du cylindre et s'imprime lorsqu'on le déroule sur l'argile. L'administration peut ainsi sceller vases et entrepôts et garantir l'exactitude du compte de ce qu'ils contiennent. Les graveurs reproduisent sur ces cylindres des scènes de la vie quotidienne. Ce sont aujourd'hui de précieux témoins pour les archéologues.

SCEAUX-CYLINDRES
Sur les sceaux-cylindres, apparaît souvent une grande figure reconnaissable à sa jupe en cloche, sa grosse barbe et son serre-tête. En tant que chef militaire, il abat des ennemis devant un temple muni de cornes, symbole des dieux. En tant que chef religieux de sa cité, il apporte les offrandes au temple, à pied ou en bateau sur les marais. Parce qu'il détient les pouvoirs religieux et politiques, on l'appelle le **«roi-prêtre»**.

VASE DE CULTE D'URUK
Les Sumériens furent les premiers à représenter sur des objets des **scènes de culte**, par exemple les processions apportant les offrandes aux dieux (détail ci-dessus). Dans ce dessin inspiré du décor du vase, des béliers, des brebis, des porteurs d'offrandes, et, en tête de procession, **le roi-prêtre** et son acolyte. Il offre des offrandes à une femme qui en a déjà accumulé un certain nombre derrière **deux roseaux** stylisés qui sont les emblèmes de la grande déesse **Innana**. Sur d'autres représentations, ces roseaux sont placés à côté des temples ou au sommet des petites estrades portées par des béliers. Ils symbolisent le domaine de la déesse. Ce qui se trouve entre eux ou, comme ici, derrière eux, lui appartient.

RELIEF INSCRIT
Dans ses activités religieuses, le roi est souvent accompagné d'un jeune homme. Cet acolyte le suit dans les processions et l'aide parfois à tenir la ceinture qu'il offre au temple.

DE LA COMPTABILITÉ À L'ÉCRITURE

En 3500 av. J.-C., un berger quitte la ville de **Suse**, en Iran, pour faire paître des moutons et des chèvres appartenant au temple du grand dieu. Le contrôleur a compté le bétail, puis il a façonné une boule d'argile (**bulle**) dans laquelle il a enfermé des billes et des cônes (**calculi**) de différentes tailles correspondant à l'espèce et au nombre d'animaux confiés au berger. Il a ensuite imprimé son sceau pour garantir l'opération. Lorsque le berger reviendra, on brisera la boule pour vérifier que le compte est bon. Un jour, on eut l'idée de noter le nombre d'animaux

par des encoches sur la surface de la bulle. Les calculi devinrent inutiles puisqu'il suffisait de lire les chiffres sur l'enveloppe. Celle-ci s'aplatit et devint une simple **tablette**. A Uruk, les comptables pensèrent à ajouter, à côté des chiffres, le dessin qui symbolisait l'animal. En établissant ainsi des bordereaux d'envoi, on trouva le principe de l'écriture.

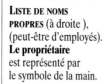

LISTE DE NOMS PROPRES (à droite), (peut-être d'employés). **Le propriétaire** est représenté par le symbole de la main.

TABLETTE D'ARGILE
Bordereau de comptabilité. Les chiffres sont figurés par des encoches :

  = 1   ○ = 10

Des signes-images (pictogrammes) représentent les objets :

  l'**épi**.

Le signe peut être schématique :

 pour l'**animal** dont n'est dessinée que la tête, ou symbolique :

 la **femme** figurée par le triangle.

L'ÉCRITURE

représente par ses signes les idées et les symboles propres au peuple qui l'invente. Elle peut être abstraite dès son origine, et ne pas évoquer la forme des objets qu'elle exprime. Ceux qui l'écrivent la comprennent parce

qu'ils connaissent ces symboles. Or la pensée des gens d'Uruk nous est étrangère; certains signes n'ont donc pas pu être déchiffrés.

CONTRAT DE VENTE
de champs et leur prix en bœufs, huile, laine et tissus (ci-dessous).

CONTRAT CONCERNANT
un champ représenté par projection plane :

champ avec rigoles d'irrigation et fossé.

L'invention de l'écriture

Il était une fois un roi d'Uruk nommé Enmerkar qui voulait soumettre la prospère cité d'Aratta, en Iran. Il envoya au seigneur de ce lieu un messager chargé d'exiger un tribut d'or et d'argent. Les deux monarques n'arrivant pas à s'entendre, le messager dut faire maints allers-retours entre les deux cités séparées par sept chaînes de montagnes. Un jour, épuisé, il fut incapable de répéter un message très long… Alors, Enmerkar inventa l'écriture en écrivant ses volontés sur une tablette d'argile, afin d'aider la mémoire défaillante de son messager. Cette légende sumérienne n'est pas loin de la réalité. En 3300 avant Jésus-Christ, Uruk, cité prospère, entretient des échanges commerciaux avec des régions lointaines. La comptabilité des marchandises nécessite l'invention d'un système de signes commun à tous pour noter le langage.

IDÉOGRAMMES : SYMBOLES DE LA SOCIÉTÉ SUMÉRIENNE

= **soleil** se levant au-dessus de l'horizon.

= **nuit**, gouttes d'obscurité tombant de la voûte céleste.

= **montagne**, terre étrangère, l'Est (le seul endroit où il y ait des montagnes).

= idée d'**amitié**.

= idée de **différence**, d'**inimitié**.

 = œuf + oiseau = idée d'**enfanter**.

= le **mouton** (dans son enclos). Evoque nos croix pour cocher rapidement une liste nombreuse.

BAS-RELIEF DIT DE LA «FIGURE AUX PLUMES»
Le roi-prêtre se tient devant le temple nommé dans le texte.

COMPTE DE CHEVRES ET DE MOUTONS
Les signes évoluent. **L'enclos du mouton** devient carré, car il est plus facile de faire des lignes droites que des courbes sur l'argile. **L'étoile** signifie **dieu** ou **ciel** (*an*).

RELIEF DU PRETRE DUDU dont le nom, qui signifie «**aller**» et «**venir**» en sumérien, est écrit par le signe (*du*), répété deux fois.

ÉVOLUTION DES SIGNES
Au début, l'écriture ressemble au dessin. Tracer des courbes sur l'argile est difficile, aussi on imprime des **clous horizontaux, obliques,** verticaux, ou une **tête de clou.** Vers 2700 av. J.-C., le sens de la lecture change. On lit horizontalement, de gauche à droite. Les signes vont évoluer jusqu'à devenir méconnaissables.

LE SIGNE DU ROI
L'homme et **l'emblème royal** : la couronne ou le sceptre.

: 2500 av. J.-C.

: 2250 av. J.-C.

: 2000 av. J.-C.

: 1750 av. J.-C.

: 700 av. J.-C.

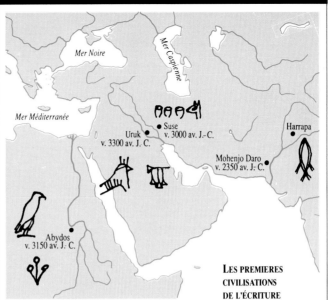

LES PREMIERES CIVILISATIONS DE L'ÉCRITURE

L'écriture est née des besoins de l'administration. Composée de signes en forme de clous ou de coins – d'où son nom d'écriture cunéiforme –, elle est tracée avec un calame – tige de roseau taillée – sur des tablettes d'argile. Cette technique est employée pendant plus de 3000 ans. La première écriture, qui note la langue sumérienne, n'est pas un alphabet, elle comporte 2000 signes représentant chacun un mot (logogramme) ou une idée (idéogramme) :

= tête. Des signes composés sont ensuite créés :

= manger (bouche + pain),

= fureur (cheveux dressés sur la tête).

Pour améliorer encore le système, on adopte le même signe pour symboliser des mots ou des actions de sens proches.

, par exemple, note la bouche (*ka*), le nez (*kir*), la parole (*inim*), l'idée de parler (*du*) ou de crier (*gu*). Le lecteur choisit entre tous ces sens selon le contexte. La nécessité d'écrire des phrases, de noter les éléments grammaticaux et les noms propres, conduit à inventer des signes-sons (phonogrammes), en ne conservant que le son des idéogrammes vidés de leur sens, comme dans nos rébus modernes : et font «chapeau».

L'ÉCRITURE PROTO-ÉLAMITE
On appelle proto-élamite la civilisation qui supplanta, en Iran, celle d'Uruk, disparue vers 3000 avant J.-C. La population du sud-ouest iranien prit, pour la première fois, une conscience historique, en créant, dans la ville de Suse, une écriture spécifique, sur le modèle sumérien, pour exprimer sa langue, **l'élamite**. Son déchiffrement reste encore à faire. Nous comprenons seulement que tous les textes connus, écrits sur des tablettes d'argile sont des documents de comptabilité. Le système de calcul est décimal, comme le nôtre, ce qui est le moyen de compter le plus évident car on peut utiliser les doigts des deux mains. Les tablettes portent souvent le sceau du contrôleur, pour authentifier l'opération.

COMPTE D'ÉQUIDÉS, chevaux ou ânes de trois espèces différentes. Le revers porte les totaux des opérations inscrites sur l'avers et un sceau.

Les dieux de Mésopotamie

ANU, LE DIEU DU CIEL, et son fils **Enlil,** «seigneur du souffle», dieu de l'atmosphère, règnent dans le panthéon. Dans les cieux siègent les grands astres : **Nanna-Sin** le croissant de lune, **Utu-Shamash** le soleil, figuré par l'astre radié, **Inanna-Ishtar** la planète Vénus.

LES DIVINITÉS de l'orage, de la végétation ou des eaux règnent sur Terre. Elles sont des personnifications d'éléments naturels et les actes auxquels elles participent sont liés au cycle annuel de la nature.

UTU-SHAMASH, le dieu-soleil, illumine la Terre des rayons qui sortent de ses épaules. Chaque matin, il apparaît derrière la montagne entre les portes de l'Est que surveillent ses acolytes. Avec sa scie, il mime la mort de la végétation en été.

LE DIEU BATEAU est le véhicule d'un autre dieu, peut-être **Enki,** qu'il emmène à son bord. Sur les flots ou dans les cieux, il est précédé de ses emblèmes. A **Eridu,** un hymne lui est adressé : «Le gouvernail d'Enki est **Nirah** [le dieu serpent], ses rames sont de jeunes roseaux. Quand Enki monte en bateau, l'année est pleine à déborder [d'abondance].»

LE DIEU SERPENT est associé à la végétation, il est bienveillant malgré son aspect monstrueux.

COMBAT MYTHOLOGIQUE Un héros défend des capridés contre des lions. Peut-être la lutte du **bien** et du **mal**.

136

Innombrables, les dieux sont répartis en familles qui possèdent des serviteurs. Bien qu'immortels, ils vivent comme les hommes qu'ils ont créés pour travailler à leur place. Jusqu'au jour où, fatigués du brouhaha des mortels, ils déclenchèrent le déluge qui devait décimer l'humanité…

LES GRANDS DIEUX trônent et reçoivent régulièrement l'hommage de dieux mineurs tels les petits dieux bicéphales.

NISABA, déesse du grain, reçoit l'hommage de **Dumuzi,** dieu du monde végétal. Des céréales sortent de leurs épaules.

ISHKUR-ADAD, l'orage, brandit la foudre du haut de son dragon ailé crachant des flammes, dont le grondement évoque le tonnerre.

Son épouse l'accompagne. Dans une région où l'orage annonce enfin la pluie, cette divinité jouissait d'une grande ferveur.

ENKI-EA, le maître des eaux douces, habite une «maison eau» et règne sur la magie et la sagesse. Il est l'ami des hommes.

LES DIEUX se distinguent des humains qu'ils côtoient par **la tiare à cornes.** Celle des grands dieux a quatre rangs de cornes.

ORANTS
En prière, devant son
dieu, l'orant est vêtu
d'une peau de mouton,
la jupe des cérémonies.
Les mèches de laine
sont bien peignées et la
queue de l'animal
retombe dans
le dos.
Les Grecs
appelleront
plus tard
ce vêtement
«kaunakès».

Les premières dynasties de Sumer

Au pays de Sumer, vers 2500 avant Jésus-Christ,
chaque cité-Etat est dirigée par une dynastie qui
contrôle et défend son territoire sous les auspices
d'un dieu tutélaire. La plupart des différends entre
les cités trouvent une solution dans des batailles
qui ont pour prétexte le tracé incertain des
frontières. Deux cités, Umma et Lagash, se
querellent ainsi pendant des générations à propos
d'un fossé ou d'un talus-frontière. La solution
n'est trouvée que le jour où Eannatum, roi de
Lagash, parvient à écraser son rival, avec l'aide de
son dieu. Il piétine les corps de ses ennemis que
les vautours achèvent de décharner. De retour, il
fait dresser une stèle en pierre sur laquelle le récit
de sa victoire est gravé. C'est le premier document
véritablement historique de l'humanité.

La violence guerrière est cependant absente
de l'art qui reflète le calme d'une grande
religiosité. Des statues d'orants déposées
dans les temples assurent à leurs donateurs
que leurs prières y résonnent
éternellement. Rien n'est trop
beau pour être offert aux
dieux, que ce soit
de nouveaux territoires
conquis sur de puissants
chars de guerre ou
des objets de luxe
en métal précieux.

ZIGGURAT D'UR
L'édification
de temples placés sur
des terrasses de plus en
plus élevées aboutit à
la création de «tours à
étages», les
ziggurats.

L'EMPIRE D'AGADÉ OU D'AKKAD

En 2340 av. J.-C., le roi **Sargon** soumet les cités-Etats et forme un empire. L'avènement de Sargon, d'origine sémitique, marque la domination de ces populations sur les Sumériens. La langue akkadienne devient la langue officielle. La dynastie d'Agadé, du nom de sa capitale, patronne un art et une littérature voués à la cause militaire. **Les stèles de victoire** évoquent la puissance

royales taillées dans la dure diorite impose le respect. Cela doit impressionner les populations. En revanche, les graveurs de sceaux échappent à cette tendance propagandiste et travaillent à illustrer la religion et la mythologie. Mais la guerre est nécessaire à la survie de cette dynastie sans cesse menacée par les nomades aux confins de son trop vaste territoire. Les montagnards du **Zagros** parviennent, à force de ténacité, à détruire ce qui est le premier empire, mais ils n'en effacent pas le souvenir. Passés dans la légende des siècles ultérieurs, Sargon et les rois de sa

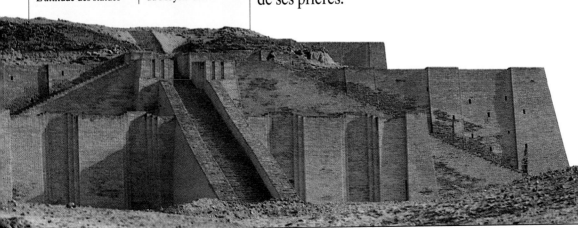

des armées en marche sous le commandement du roi, désormais divinisé de son vivant. L'attitude des statues

lignée sont des modèles pour tous ceux qui sont tentés par la domination du Moyen-Orient.

La Renaissance sumérienne

Venu du nord, de la ville de Kish, Sargon, vers 2340 avant Jésus Christ, soumet l'ensemble des Etats sumériens et constitue l'empire d'Akkad. Celui-ci est détruit vers 2200 sous les coups d'envahisseurs venus de régions plus au nord. Les cités-Etats sumériennes en profitent pour reprendre leur indépendance. Deux villes font revivre avec éclat l'ancienne culture : Ur et Lagash. A Ur, règne une dynastie qui domine un véritable royaume. A Lagash, le pacifique Gudéa, l'«ensi», le prince aimé du grand dieu Ningirsu, ne prend pas le titre royal ; ses préoccupations sont avant tout religieuses. L'art de sa ville est témoin de son caractère pacifique. Il voue la plus grande partie de son règne (vers 2130 avant Jésus-Christ) à honorer les dieux en construisant des temples qu'il peuple de ses effigies. Taillées dans des pierres dures qui accentuent la solennité de l'attitude, les statues de ce prince sont couvertes d'inscriptions qui sont autant de textes littéraires. Aux faits marquants qui sont relatés s'ajoutent la titulature du prince (ses titres) et le nom de la statue, rédigé en forme de souhait. Les dieux sumériens sont ainsi restaurés dans leurs dignités, mais c'est surtout à Ningirsu, le grand dieu tutélaire de Lagash, et à Ningishzida, son dieu personnel, que Gudéa voue l'essentiel de ses prières.

GUDÉA
Le prince, vêtu d'un manteau frangé et portant la coiffure royale de l'époque, tient un vase d'où jaillit de l'eau.

Les flots poissonneux sont généralement l'attribut du dieu de l'abîme Enki et, à Lagash, ils sont aussi le symbole de Ningirsu, le «dieu nourricier des champs». En tant que vicaire du grand dieu de sa cité, Gudéa tient le vase jaillissant lors des cérémonies et son **vase à libations** porte des dragons, les animaux de son dieu personnel **Ningishzida**, le «seigneur de l'arbre véritable». Lorsque le prince paraît devant le grand dieu de l'abîme, son protecteur, Ningishzida, intercède en sa faveur.

PRINCESSE SUMÉRIENNE
Cette statuette richement parée, appelée «femme à l'écharpe», a eu sans doute pour modèle un membre d'une famille princière, peut-être **Ninalla**, la femme de Gudéa.

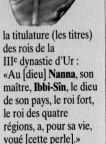

PERLE INSCRITE AU NOM D'IBBI-SIN
Le texte donne

la titulature (les titres) des rois de la IIIe dynastie d'Ur : «Au [dieu] **Nanna**, son maître, **Ibbi-Sìn**, le dieu de son pays, le roi fort, le roi des quatre régions, a, pour sa vie, voué [cette perle].»

CYLINDRE D'ARGILE INSCRIT
«Un jour, dans un rêve, Gudéa ouvrit les yeux sur son Seigneur. Ningirsu lui demanda de reconstruire son temple.» Gudéa obéit. «Il construisit en un lieu pur le temple de Ningirsu. Il éleva un terrassement, comme des pierres il façonna la terre, comme le métal il la passa au feu ; conformément aux mesures, il délimita un large espace, il apporta de la terre et au milieu du terrassement, il fit les fondations ; au-dessus de l'étage il édifia l'**Eninnu** (le temple), haut de trente coudées.» Le temple achevé, Ningirsu arriva. «Le jour où il y eut des sacrifices, la nuit il y eut des prières [...]. Ningirsu entra dans sa demeure.»

STATUE DE GUDÉA, L'ARCHITECTE
Le roi prend une part active à la construction du temple, posant lui-même la première brique, disposant les documents de la fondation ou dessinant le plan de l'édifice. La statue est placée sur le parvis du temple. Son inscription témoigne devant le dieu et les hommes de la dévotion de Gudéa.

TÊTE DE GUDÉA

TABLETTE PORTANT LES DIMENSIONS DU TEMPLE

Le roi-bâtisseur

Edifier un temple qui soit à la mesure de sa dévotion est l'un des plus sûrs moyens pour le roi d'attirer sur lui, sa descendance et son Etat, la bienveillance divine. Depuis les premières dynasties (2850 à 2340 avant Jésus-Christ), le roi-bâtisseur étale sa fierté de l'œuvre accomplie sur des reliefs votifs et, plus tard, sur des statues où il prend soin de relater l'événement.

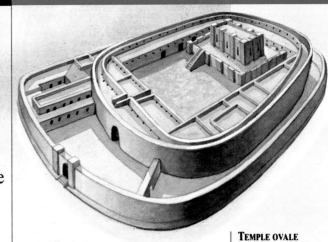

TEMPLE OVALE de **Khafadje**, époque des Dynasties archaïques.

CLOUS DE FONDATION
Pour amarrer le temple au monde terrestre, les rois sumériens des Dynasties archaïques, puis Gudéa à leur suite, enfonçaient des **clous** dans les fondations, sous les portes, ou les incorporaient dans les murs. Ces clous sont inscrits et accompagnés d'une tablette, elle aussi inscrite. Enfouie dans la maçonnerie à plusieurs endroits, seuls les dieux pourront lire la dédicace du roi : «Pour Ningirsu, le champion d'Enlil, son maître, Gudéa, le prince de Lagash [...] l'Eninnu [...] il construisit, il restaura.»

AIGLE À TETE DE LION
en lapis-lazuli et or.

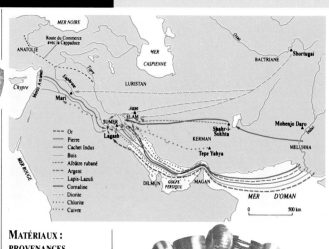

MATÉRIAUX :
PROVENANCES
ET DESTINATIONS

RELIEF ASSYRIEN
Les habitants
de la Mésopotamie
vont chercher leur bois
dans les montagnes
et le charrient
sur les eaux.

PASSE-GUIDE
EN CUIVRE
Le minerai manque
cruellement
à la Mésopotamie
qui le fait venir du pays
de **Magan** (Oman).

OBÉLISQUE
DE MANISHTUSU
Les empereurs
d'**Agadé** importent
la diorite du pays
de Magan (Oman)
pour les monuments
d'importance comme
celui-ci qui porte
un texte de partage
des terres
entre officiers.

Les routes du commerce

Dès la préhistoire s'établissent des échanges
commerciaux entre des populations éloignées.
Au néolithique, des groupes partent à la recherche
de matériaux qu'ils ne trouvent pas dans
leur environnement immédiat et qui ne sont pas
toujours indispensables. Alors, pourquoi aller
les chercher si loin du village en un temps
où les moyens de transport sont encore peu
développés ? La même question se pose
à l'époque des Dynasties archaïques ou à celle de
Gudéa. Mais, cette fois-ci, les premiers documents
écrits permettent de mieux comprendre.

COLLIER EN AGATE

VASE EN CHLORITE
Au lieu de pierres
brutes, des objets
finis sont parfois
importés.
A **Tepe-Yahya**,
en Iran, des ateliers

spécialisés dans
la chlorite ont soin
de produire des vases
au goût de leurs clients.
Pour les gens de Sumer,
ils les décorent
de maisons de roseaux.

VASE D'ARGENT de la vaisselle du temple, inscrit au nom d'**Entéména** de Lagash. L'or et l'argent sont importés de la lointaine contrée de **Méluhha** et ont une grande valeur. Les rois de Mésopotamie les destinent à des objets ou à des décors pour leurs temples ou bien encore pour se parer ou pour décorer leurs meubles.

VASE EN ALBATRE venant d'Asie centrale.

En Mésopotamie, des inscriptions relatent quels matériaux (principalement des pierres, du bois et du cuivre) les cités importent à grand frais à l'occasion de grands événements. Ur-Nanshé fait venir du bois de Dilmun (Bahreïn) pour édifier le temple de sa cité, Lagash. Sargon et Manishtusu, les puissants empereurs d'Agadé, se procurent de la diorite (une pierre noire très dure) pour y faire tailler leurs imposantes effigies. Quant à Gudéa, le roi dévot, sa ferveur le pousse à offrir à son dieu un temple orné de tous les matériaux précieux que ne possède pas sa région : du bois de cèdre et des pierres de l'Amanus et de Syrie, de la diorite, du cuivre et de l'or des pays de Magan (Oman) et de Méluhha (vallée de l'Indus). Le commerce à longue distance reste donc une affaire d'Etat et de prestige, essentiellement destiné aux entreprises luxueuses, comme les offrandes aux dieux ou encore les grandes statues et les bijoux royaux. La rareté des matières importées permet au roi de prouver son attachement à son dieu et de montrer sa puissance. Ce commerce est réservé à une toute petite partie de la population.

A plus faible distance, dans un commerce de proximité, les cités échangent des marchandises de première nécessité, comme des denrées alimentaires. Ces réseaux d'échanges se développent grâce aux systèmes de comptabilité et d'écriture qui permettent de les gérer.

GROUPE EN OR représentant des êtres et des animaux mythologiques se livrant des combats.

L'INSCRIPTION dit : «Ur-Nanshé, le roi de Lagash, a bâti le temple; les bateaux de **Dilmun** ont charrié du bois.»

COQUILLAGE INSCRIT «**Rimush, roi de Kish**». L'empereur d'Agadé fit importer cet objet et le jugea, du fait de sa rareté, digne de porter son nom.

LA PORTE DES LIONS
de l'ancienne
ville hittite
de **Hattusha-Bogazkoy**
(1500 à 1200 av. J.-C.).

RUINES DE LA ZIGGURAT D'UR
(vers 2000 av. J.-C.) en
briques crues et cuites,
particulièrement bien

conservée. On connaît
mal le rôle de
la ziggurat, associée
à la principale divinité
de la cité.

MER NOIRE

MER CASPIENNE

Ankara

Hattusha-Bogazkoy

ANATOLIE

URARTU
• Van

MER

MÉDITERRANÉE

CHYPRE

Urkish

Tigre

• Ninive

• Téhéran

Ugarit-Ras-Shamra

Euphrate

• Palmyre

ASSYRIE

Byblos
Beyrouth •

Croissant
Fertile

• Mari

Hazor •

• Damas

• Bagdad

MONTS

Suse • ELAM

• Jérusalem • Qumran

STEPPE SYRIENNE

Babylone •
AKKAD

• Lagash

ZAGROS

Uruk •
• Ur
SUMER

• Persépolis

**LE PALAIS DE DARIUS
À PERSÉPOLIS**
(522 à 486 av. J.-C.).

Mohenjo
Daro •

ARABIE

Nil

MER ROUGE

Indus

L e Proche-Orient et le Moyen-Orient
comprennent plusieurs aires géographiques :
le «Croissant fertile», berceau de
la civilisation, commence à l'ouest avec les riches
pays du Levant et s'étend ensuite en arc de cercle
dans les plaines d'Assyrie, de Babylonie
et de Sumer ; plus au nord se trouve le plateau
d'Anatolie qui se rattache à l'est aux hautes terres
d'Iran jusqu'aux confins de l'Indus que l'on peut
aussi atteindre en longeant les côtes
de la péninsule d'Oman et de l'île de Bahreïn.

L'empire des «quatre régions»

L'ADORANT DE LARSA
Cette statuette, probablement le roi **Hammurabi** dans l'attitude de la prière, est vouée à **Amurru**, le dieu de la dynastie de **Babylone**. Sur le devant du socle, une petite vasque sert à recevoir des offrandes.

Les invasions des nomades amorrites, venus de l'ouest, vers 2000 avant Jésus-Christ, détruisent le dernier empire sumérien d'Ur en Mésopotamie. Ces populations forment de petits royaumes. Elles rêvent de reconstruire le grand empire des «quatre régions», qui s'étend au monde entier, entre les quatre points cardinaux. Entre 2000 et 500 avant Jésus-Christ, les empires babylonien et assyrien concrétisent ce rêve, sous l'égide de leurs dieux respectifs, Marduk et Assur.

SIEGE D'UNE VILLE
avec une tour roulante. Relief provenant du décor de la salle du trône du palais d'**Assurnazirpal II** à **Nimrud**. (*Lecture* : le «u» des noms propres se prononce «ou», à l'exception de Sumer et de Suse).

DEUX GÉNIES tiennent la vasque d'un support d'offrandes en forme de bouquetins.

145

Hammurabi, le roi législateur

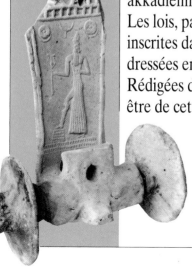

HAMMURABI est connu pour l'abondante correspondance diplomatique et administrative qu'il entretenait avec ses voisins avant de les annexer. Il aimait à se faire appeler «celui qui établit la justice sur la Terre».

Des scènes de la vie quotidienne, des images divines ou des modèles de chars ont été parfois illustrés en terre cuite.

En basse Mésopotamie, les royaumes amorrites d'Isin et de Larsa luttent pour l'hégémonie alors qu'une nouvelle puissance se forme discrètement à Babylone vers 1900 avant Jésus-Christ. Cette jeune dynastie amorrite se consolide lentement en laissant, de manière fort habile, ses voisins s'épuiser dans leurs rivalités. En 1792 avant Jésus-Christ, Hammurabi monte sur le trône et, en quelques batailles, il soumet les royaumes de Larsa, d'Eshnunna, puis de Mari et d'Assyrie.

PLAQUE DE FONDATION au nom d'Hammurabi relatant la construction d'un canal.

STÈLE DU CODE DE LOIS D'HAMMURABI découverte à Suse en 1901, elle comporte 282 articles de loi. Les peines sont sévères et dissuasives.

La première dynastie de Babylone gouverne désormais la Mésopotamie, qui devient la «Babylonie».

Avec l'installation des Amorrites dans le pays, les Sumériens ont disparu et leur langue est remplacée par l'akkadien, bien que leur culture ne disparaisse pas pour autant et que nombre de récits de leur tradition orale soient mis par écrit à cette époque. Ainsi, les actes de la diplomatie et les textes administratifs sont-ils rédigés dans la langue akkadienne des nouveaux dirigeants sémites. Les lois, par exemple, qui régissent l'ordre, sont inscrites dans cet idiome sur de grandes stèles dressées en différents points du royaume. Rédigées dans une langue claire, elles peuvent être de cette manière connues et comprises de tous. Les codes de lois du roi Hammurabi (dont on ne conserve aujourd'hui qu'un seul spécimen complet) sont des recueils de sentences qui étaient jugées exemplaires.

UNE DYNASTIE ÉTRANGÈRE, LES KASSITES, s'empare du trône de Babylone après 1595 jusqu'en 1160 av. J.-C., mais elle ne lui redonne pas son ancien éclat. Les rois octroient des terres à leurs sujets les plus fidèles et font inscrire ces transactions sur de gros galets (ou **kudurru**) qu'ils placent sous la protection des dieux.

Comme si l'image humaine ne suffisait plus à transcrire l'essence divine, chaque divinité est désormais représentée par son symbole et son animal-attribut suivant sa place dans la hiérarchie du panthéon et dans le cosmos. Au sommet, les symboles des dieux astraux (étoile, croissant de lune, soleil) survolent les tiares des grands dieux de la «triade suprême», **Anu**, **Enlil** et **Ea**. Celui-ci est figuré par une tête de bélier portée par un poisson-chèvre. Plus bas, la bêche pointue et le dragon-serpent cornu de **Marduk** voisinent avec le stylet posé sur la tablette de **Nabû**, le dieu des scribes. La foudre d'**Adad**, dieu de l'orage, repose sur le dos de son taureau qui souffle la tempête. Sur terre, le serpent et le scorpion rampent.

elles sont les sentences équitables que Hammurabi, roi avisé, a portées pour faire prendre à son pays la ferme discipline et la bonne conduite», dit le texte. Dans cette époque de troubles, chacun peut ainsi connaître la peine qu'il encourt à se risquer dans de mauvaises actions. Et, comme pour justifier de son caractère «avisé», Hammurabi se fait représenter au sommet de la stèle devant Shamash, le dieu de la justice, qui semble lui dicter la loi et lui conférer une partie de son pouvoir en lui permettant de toucher l'anneau et le bâton, symboles de ce pouvoir.

L'activité architecturale de la première dynastie de Babylone est mal connue, enfouie sous les restes des époques plus récentes. Seuls, un certain nombre de documents écrits relatent des constructions, notamment celle de canaux qui assuraient la fertilité des terres et la richesse du pays. La cohésion de la Babylonie ne survit pas à son grand roi, qui meurt en 1750 avant Jésus-Christ, non sans avoir recommandé à ses successeurs de continuer à faire régner l'ordre et la loi tels qu'il les a établis, sous peine de voir s'effondrer le royaume. La première dynastie de Babylone s'éteint peu de temps après, faute d'un monarque de la stature de «Hammurabi, le roi fort, le roi de Babylone, le roi qui se fait obéir des quatre régions, l'instrument des victoires du dieu Marduk, le pasteur qui contente son cœur». Un raid, organisé par le peuple hittite, originaire d'Anatolie, met fin à l'œuvre unificatrice de Babylone en 1595 avant Jésus-Christ.

CALAME DE ROSEAU à bout triangulaire pour imprimer des «clous» sur l'argile fraîche. Le bout rond sert pour les chiffres.

EXERCICE D'ÉCOLIER mal façonné et écrit par l'apprenti scribe.

LES SCRIBES
La lecture et l'écriture sont des savoirs réservés à une élite. Les scribes occupent différentes fonctions : écrivains publics, ils offrent à tous leurs services sur les marchés ; «gratte-argile» dans les administrations, ils tiennent les comptes ; scribes du roi ou d'un temple, ils sont ministres ou prêtres. Certains sont spécialisés dans les sciences.

Leur formation se fait dans la «maison des tablettes», l'**edubba**. L'écolier apprend à lire des syllabes (*bi-ba-bu*) et à écrire des pages de «clous». Beaucoup d'exercices, écrits maladroitement, ainsi que des listes de mots à apprendre par cœur, des dictionnaires et des recueils de sciences naturelles ont été retrouvés. La copie d'une grande œuvre littéraire du passé couronne les études. Le scribe signe et date son œuvre en ajoutant parfois une clause concernant son rangement dans la bibliothèque : «Le lecteur qui ne détournera pas le document et le replacera dans le porte-tablette, que la déesse le regarde avec joie ; celui qui le fera sortir du temple, que la déesse le regarde avec colère.»

PEINTURE MURALE où le roi, de très grande taille, conduit une procession amenant le taureau pour le sacrifice.

DES LIONS assuraient la garde de l'entrée du temple où résidait le dieu.

STATUE DE CULTE Elle devait servir dans les cérémonies qui se déroulaient dans le palais, non loin de la salle du trône. La déesse tient un vase d'où les officiants pouvaient faire jaillir de l'eau par un dispositif de canalisations internes.

ADMINISTRATION

CUISINES

SALLE DU TRONE

LOGEMENTS DU PERSONNEL

Le palais de Mari

Mari, au bord de l'Euphrate, est le centre d'un royaume demeuré célèbre pour la beauté de son palais, principalement du temps de son dernier roi, Zimri-Lim, contemporain d'Hammurabi. Couvrant plus de deux hectares et demi et comptant plus de cinq cents pièces, il était le centre de l'administration et du pouvoir royal. Une cour d'honneur, ornée de peintures murales et d'un palmier d'or, donne accès à la salle du trône où se déroulaient réceptions, audiences et banquets en l'honneur du roi. Tout autour se trouvent les magasins et les bâtiments de l'administration. L'étage abrite l'appartement royal.

LE PALAIS DE MARI, construit vers 2500 av. J.-C., était considéré par les rois des autres régions comme l'une des merveilles du monde. Il fut détruit par Hammurabi de Babylone en 1760 av. J.-C.

COUR AU PALMIER

PORTE

SANCTUAIRE

APPARTEMENTS DU ROI

AGASINS ROYAUX

L'OISEAU BLEU
Détail d'une peinture
murale célébrant
l'investiture du roi
de Mari qui décorait
une cour du palais.

149

BIJOUX provenant de la nécropole des reines assyriennes, récemment mise au jour.

L'EMPIRE ASSYRIEN

ASSURNAZIRPAL II, qui résidait dans la ville de **Nimrud** fut, avec son fils **Salmanazar III**, un des grands conquérants de l'empire. Dignement vêtu d'une robe d'apparat, il tient le **sceptre** et la **harpê**, symboles de son pouvoir.

Les puissants rois d'Assyrie

A partir de 1200 avant Jésus-Christ, des nomades araméens en quête de terres où s'établir s'installent en Mésopotamie. Sur les bords du Tigre, le modeste royaume d'Assyrie constitue une puissante armée pour enrayer cette intrusion. Puis il se lance à son tour à la conquête de nouveaux territoires.

Dès 900, ses guerriers, affamés de victoire, s'attaquent aux peuples voisins qu'ils soumettent les uns après les autres : les Babyloniens, les royaumes phéniciens et araméens ; tous se rendent à la raison du plus fort après de sanglantes batailles, des déportations, des destructions et des pillages. L'Empire assyrien couvre tout le Proche-Orient. Les grands conquérants : Assurnazirpal II et son fils Salmanazar III, Tiglat-Pileser III, Sargon II et Assurbanipal, se définissent eux-mêmes comme les maîtres incontestés d'un empire universel, «le roi puissant, roi de l'univers, roi d'Assyrie, le roi qui, d'une extrémité du monde à l'autre, a établi sa domination sur les quatre régions et y a placé ses gouverneurs».

PEINTURE DE TIL-BARSIB
Pour asseoir leur pouvoir et leur administration dans les régions récemment conquises, les rois bâtissaient des palais provinciaux dont le décor – par exemple, les audiences que donnait **Tiglat-Pileser III** à ses dignitaires – servait l'autorité royale.

LA PORTE PRINCIPALE de **Khorsabad**, décorée de briques émaillées, était flanquée de deux palmiers monumentaux en bois plaqué de bronze doré, tandis qu'aux autres entrées se dressaient huit statues de divinités.

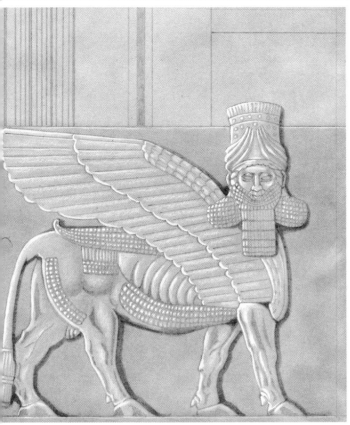

Chaque roi désire se réserver une place d'honneur auprès des dieux en leur édifiant de grandes constructions. De vastes palais et de nouvelles villes sont bâtis par les rois, chacun soucieux de se distinguer de ses prédécesseurs. Centre de l'administration, résidence royale et demeure des dieux, le palais doit montrer la puissance de ses habitants. Les salles de réception et les cours d'honneur servent à impressionner le visiteur en magnifiant les hauts faits du roi sur de grands bas-reliefs rehaussés de peinture. Des scènes de victoire font la démonstration de la force de l'armée, et des défilés de peuples vaincus venus rendre hommage à leur nouveau souverain illustrent la toute-puissance du roi vainqueur.

Mais celui-ci n'est rien sans l'appui des dieux et c'est à eux qu'il doit sa gloire. Afin de s'assurer leur protection, il leur construit des demeures pour lesquelles il fait venir les matériaux les plus nobles. Il place aussi des créatures fabuleuses aux entrées du palais, censées conjurer le sort par la magie de leur présence. Bientôt, cependant, les dieux du panthéon ne suffisent plus à sauver l'empire – épuisé dans tant de conquêtes – de ses ambitieux voisins babyloniens et mèdes ; pas même Assur, le grand dieu national, dont le disque ailé flotte au-dessus du trône royal.

KHORSABAD
Sargon II bâtit une nouvelle capitale au retour de ses campagnes militaires et la nomma **Dûr-Sharrukîn** (forteresse de Sargon). Il édifia un rempart percé de sept portes, une citadelle et un palais monumental. On y pénétrait par un portail que gardaient de grands **taureaux ailés** à tête d'homme, coiffés de la tiare des dieux, en compagnie de héros, dompteurs de lions. Ces génies bienveillants pour les habitants, étaient des monstres terrifiants pour d'éventuels visiteurs ayant de mauvaises

intentions. Protecteurs du palais et donc de l'empire, ils assuraient également la garde du roi en encadrant l'entrée de la salle du trône.

L'URARTU, voisin de l'Ouest, était devenu redoutable pour l'Assyrie. Sargon II parcourut et dévasta le pays pour l'anéantir. La ville sainte de **Musasir** fut saccagée, pillée et finalement incendiée. A son retour, Sargon illustra cet épisode sur les murs de son palais, montrant ses soldats ruinant les édifices ennemis sous le regard attentif de scribes consignant par écrit le butin.

TRANSPORT DE TAUREAUX AILÉS, après leur découverte, au XIXe siècle, à l'entrée du palais d'Assurnazirpal II, à Nimrud, où ils montaient la garde depuis le IXe siècle av. J.-C.

Assurbanipal face aux lions

Dernier grand roi d'Assyrie (669-627 avant Jésus-Christ), Assurbanipal transfère sa capitale à Ninive, au bord du fleuve Tigre. Il est moins attiré par la guerre que par la chasse. Considérée comme un exercice noble, la chasse lui permet de prouver son courage et sa force face à des ennemis aussi intrépides que peuvent l'être les lions, qui n'hésitent pas à se jeter sur leurs poursuivants. Sorti vainqueur d'une lutte acharnée, le souverain rend grâce aux dieux de l'avoir conduit à la victoire en leur offrant sa chasse. La domination du roi sur le «roi des animaux» symbolise la domination d'Assurbanipal sur le monde.

A LA CHASSE, le roi que l'on identifie à sa tiare, est un véritable héros sur les bas-reliefs qui racontent ses exploits. Armé d'un arc, il décoche les flèches qui atteignent les animaux pendant que ceux qui l'accompagnent protègent son char des lions trop téméraires qui se lanceraient à l'assaut. Parfois, la mise à mort d'un lion résistant peut s'achever dans un combat singulier où le souverain donne la preuve de son courage, de sa vaillance et de ses qualités athlétiques.

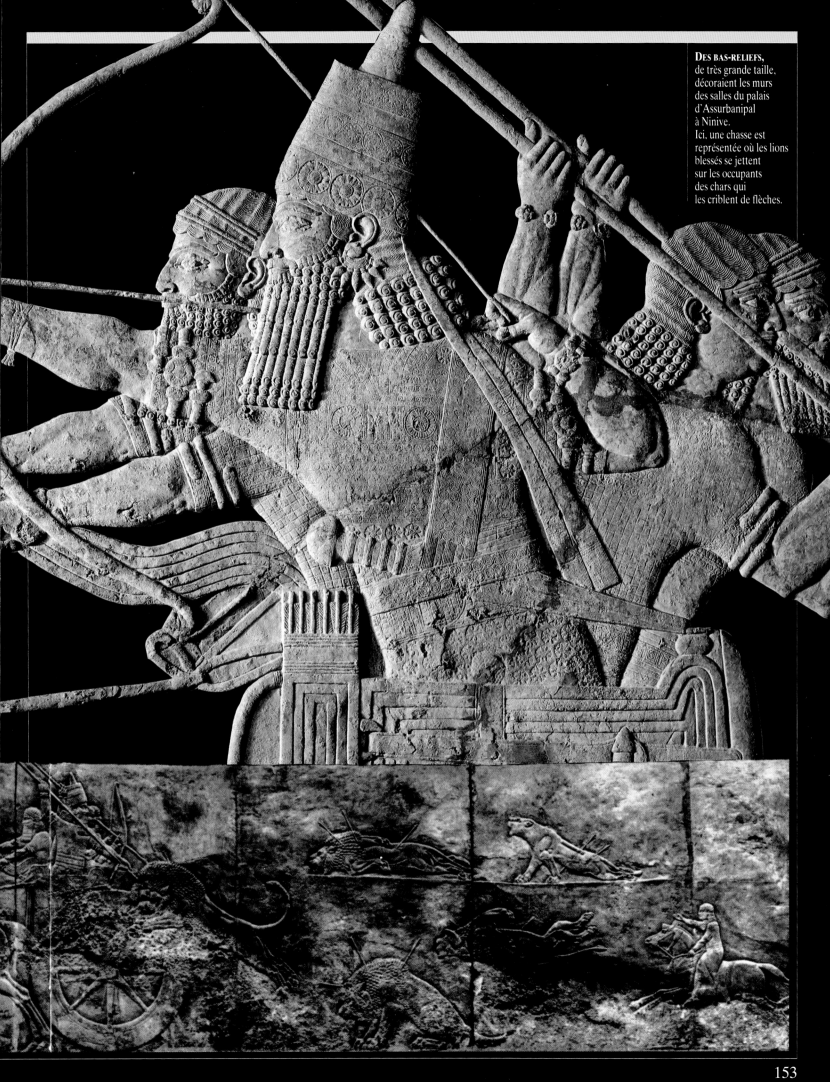

DES BAS-RELIEFS,
de très grande taille,
décoraient les murs
des salles du palais
d'Assurbanipal
à Ninive.
Ici, une chasse est
représentée où les lions
blessés se jettent
sur les occupants
des chars qui
les criblent de flèches.

153

LE DRAGON CORNU
est l'emblème du dieu
tutélaire de Babylone,
Marduk.

PORTE D'ISHTAR
décorée avec les
animaux symboliques
des grands dieux
qu'abrite la ville,
comme le dragon-cornu
de Marduk, le lion de la
déesse **Ishtar** et le
taureau d'**Adad**.

**RECONSTITUTION
DE BABYLONE**
(dessin
du début
du XXᵉ
siècle).

ACTE DE DONATION
du roi de Babylone,
Marduk-Zakir-Shumi,
à un prêtre, scribe
du grand temple
de la ville d'Uruk.
Celui-ci se présente
devant le roi
pour recevoir une terre
de près de cent
hectares, des maisons,
des esclaves et une part
du bénéfice annuel
du lieu saint
dont il est l'officiant.

Près d'eux,
les symboles du grand
Marduk (la bêche)
et de **Nabû**, dieu
des scribes (le calame),
garantissent
la transaction.

**BARILLET
DE NABONIDE,**
dernier roi
(555-539 av. J.-C.)
de la dynastie
de Babylone,
relatant

les constructions
du souverain
dans différentes villes
du pays.
Sa fille fut nommée
prêtresse du temple
du dieu-lune à Ur.

SCEAUX-CYLINDRES
Sous Nabuchodonosor,
les Babyloniens
honoraient leurs dieux

représentés
par des statues
ou des symboles placés
sur de petits autels.

154

CES ANIMAUX SYMBOLES des dieux, figurés sur les murs, protègent la ville.

Marduk, maître de Babylone

Pendant que les Assyriens se battent pour maintenir les frontières de leur empire, une dynastie araméenne s'établit sans bruit sur le trône de Babylone. En 612 avant Jésus-Christ, enfin de taille à affronter les armées assyriennes, elle se pose en digne successeur de l'ancien roi Hammurabi. Après s'être rendus maîtres de la capitale assyrienne, Ninive, Nabopolassar et son fils Nabuchodonosor II entreprennent de redonner son éclat à l'ancienne Babylone. Protégée par un double rempart, la ville s'ouvre sur la campagne environnante par une porte monumentale à laquelle aboutit une voie processionnelle. Non loin, se trouve un vaste palais. Le cœur de la cité est réservé à la ziggurat du grand dieu Marduk, maître incontesté de l'endroit.

LA «TOUR DE BABEL», RÉSIDENCE DU DIEU MARDUK
A Babylone, le dieu Marduk possède une vaste résidence terrestre, l'Esagil, que domine une ziggurat, la fameuse «tour de Babel». Au plus haut, entre ciel et terre, le temple du sommet lui sert de reposoir. Chaque printemps, pour la fête du nouvel an babylonien, les habitants renouvellent au dieu leur dévotion. Les prêtres intercèdent pour la cité en réclamant la clémence de Marduk. Son temple est purifié, un banquet lui est offert et le roi, en personne, réclame sa pitié. La fête se termine par une procession, où la statue du dieu marche en tête. En 539 avant Jésus-Christ, Marduk ne se montre d'aucun secours contre Cyrus le Grand, roi des Perses, qui entre dans la ville en vainqueur. De la ziggurat de Babylone, il ne reste aujourd'hui que les fondements, mais la mémoire humaine en conserve le souvenir depuis plus de deux mille ans. C'est sous le nom de «tour de Babel», qu'elle passa à la postérité, et qu'elle fut maintes fois représentée, avec bien des inexactitudes le plus souvent, comme dans ce tableau de Pieter Bruegel l'Ancien (1525-1569).

TABLETTE DONNANT LES DIMENSIONS DE L'ESAGIL, «temple qui relève la tête», et de l'**E-temen-an-ki**, «maison du fondement du ciel et de la Terre». Cette ziggurat (tour à étages) mesurait plus de 90 m de hauteur avec sept étages en gradins auxquels on accédait par des escaliers extérieurs.

Le scribe inscrivit toutes les dimensions et tous les savants calculs nécessaires à une telle construction. Mais, le caractère extraordinaire et divin de l'édifice ne pouvait être profané et nul ne devait avoir connaissance de ces données mathématiques. Le scribe lui-même le précise : «Que l'initié à l'initié montre ceci, le profane ne doit pas le voir.»

Sciences et magie à Babylone

«Jésus étant né à Bethléem de Judée au temps du roi Hérode, des mages venus d'Orient se présentèrent à Jérusalem et demandèrent : où est le roi des Juifs qui vient de naître ? Nous avons vu son astre se lever et sommes venus lui rendre hommage.» La tradition chrétienne de la galette des rois mages rappelle chaque année la renommée de la science babylonienne et particulièrement de ses astronomes, qui auraient vu la naissance du Christ dans les étoiles !

Vers 2000 avant Jésus-Christ, les noms des étoiles et des constellations apparaissent dans les textes babyloniens, notamment dans les présages. L'astronomie est d'abord de l'astrologie, une des formes de la divination élevée au rang de «science» par les sages, savants et penseurs, qui cherchent à expliquer les mystères de la nature par les mathématiques et la mythologie, à se concilier les dieux et les esprits par les prières et la magie ainsi qu'à agir sur les événements grâce à des conjurations. Les astres sont le reflet des dieux dont ils portent les noms ; ils constituent un lien entre le monde des dieux et celui des hommes. Les observer, pour deviner leurs mouvements, est une nécessité vitale. A la même époque la tradition médicale est fixée. Il existe, en Mésopotamie ancienne, deux sortes de médecins : le praticien (*asu*) examine le malade et préconise des remèdes à base de plantes, de pierres, d'organes animaux ou humains qu'il broie et pulvérise en les mêlant à de l'huile, du lait ou de la bière ; le prêtre-exorciste (*ashipu*) a recours aux conjurations et aux rituels, car les maladies sont supposées avoir une origine surnaturelle : démons, sortilèges, ou punitions divines. Le conjurateur regarde le foie, la rate ou les intestins d'animaux sacrifiés dont les anomalies lui fournissent des réponses sur la gravité de la maladie.

MAQUETTE DE FOIE DE MOUTON utilisée par les devins comme modèle pour la divination à partir des entrailles d'un animal sacrifié. Une malformation est reproduite dans l'argile et le présage qu'on doit en attendre est écrit dessus. Les prédictions correspondent aux diverses altérations de cet organe, considéré par les Babyloniens comme le centre de la pensée et des sentiments.

CARTE DU MONDE Les penseurs représentent l'univers sous la forme d'une demi-sphère, dont la base est constituée par la Terre et la voûte par le ciel. La Terre (le cercle intérieur) est un disque plat entouré par l'océan cosmique qui est représenté ici en projection plane.

En dessous, sont localisés les enfers. Les quatre pointes sont peut-être un rappel du titre royal des souverains mésopotamiens : **«roi des quatre régions»** ou des quatre points cardinaux, c'est-à-dire «roi du monde».

PROBLEME DE MATHÉMATIQUES comportant une figure géométrique qui représente un heptagone divisé en sept triangles dont l'un comporte une inscription indiquant la méthode à suivre pour calculer sa hauteur. Il s'agit d'un exercice d'écolier.

LA DÉESSE ISHTAR assimilée à la planète Vénus.

CALENDRIER ASTROLOGIQUE La tablette est divisée en douze cases correspondant aux douze mois de l'année et aux douze signes du zodiaque, en commençant par le signe de la Vierge, dessiné à droite et tenant un épi.

REMEDE CONTRE LES MORSURES DE SCORPION Le texte commence par une formule magique, sorte d'«abracadabra», puis vient le traitement : «Il est vert dans sa beauté, c'est une forteresse dans les sables, mais du venin est dans son moule. Après avoir enlevé l'intérieur des chairs, tu frotteras la piqûre et elle guérira.»

LE DÉMON PAZUZU, grimaçant, personnification du vent brûlant du sud-ouest.

V ers 500 avant Jésus-Christ, les mathématiques, déjà fort anciennes, sont introduites dans l'astronomie pour le calcul du mouvement des planètes et la mesure du temps. Cette nouveauté bouleverse la science babylonienne fondée jusqu'alors sur des catalogues d'observations astronomiques et des «recettes» dont aucune loi générale n'était déduite. Le calendrier, de douze mois de vingt-neuf jours et demi ou trente, est corrigé pour faire coïncider l'année lunaire avec l'année solaire. Un mois supplémentaire est intercalé tous les six ans. Deux types de textes mathématiques ont été retrouvés : des tables de multiplication et de division et des problèmes. Les Sumériens ont inventé le système sexagésimal (base 60), dont sont restées la division du cercle en 360 degrés, la mesure des angles en degrés et celle du temps en heures, minutes et secondes. Les Babyloniens conservent ce système pour les calculs scientifiques, tandis qu'ils utilisent dans la vie quotidienne le système décimal (base 10).

STATUETTES DU DÉMON PAZUZU en bronze et jaspe rouge. Il était invoqué pour faire entrer aux enfers des êtres plus malfaisants comme sa femme, la terrible **Lamashtu**. Elle est représentée sur cette **plaque de conjuration** en bronze (ci-contre), où sont figurés, de haut en bas, les emblèmes des dieux invoqués, dont le soleil, la lune et la planète Vénus, puis sept sages à tête d'animaux. En dessous, le malade est couché sur son lit et lève la main pour prier deux prêtres exorcistes vêtus de dépouilles de poisson. Lamashtu, suivie de son époux Pazuzu, est agenouillée sur un âne qui doit la conduire vers le désert et dans une barque qui doit la ramener aux enfers. A droite, des cadeaux l'incitent à entreprendre ce voyage et à délivrer le malade.

INCANTATION (Le ver symbolise le nerf de la dent que le dentiste enlève). «Lorsque le ciel eut créé la Terre, les cours d'eau et le bourbier, le bourbier créa le ver qui alla pleurer devant le ciel : "Que me donneras-tu à manger ? Fais-moi demeurer entre la dent et la gencive, de la dent je veux sucer le sang, de la gencive je veux ronger les alvéoles." A ce moment, le dentiste enfonce une aiguille dans la dent et dit : "Pour avoir dit cela, ô ver, que le dieu te châtie de sa main."»

Sur cette **amulette de protection** représentant un génie bienfaisant, on peut lire : «Entre, gardien du bien, sors, gardien du mal.»

ADELE BLANC-SEC, l'héroïne de Tardi, affronte Pazuzu dans «Le Démon de la Tour Eiffel» (Casterman).

MASQUE DE HUMBABA,
le géant de la forêt
des cèdres que
tua Gilgamesh.

GÉNIE ASSYRIEN domptant un lion, bas-relief du palais de Sargon à Khorsabad. Il ne représente pas un personnage particulier, mais symbolise des héros mythiques, tels que les Sages de la littérature comme **Gilgamesh**, l'ancien roi légendaire de la ville d'Uruk, parti en quête du secret de l'immortalité. Après toutes ses aventures et son long périple, Gilgamesh finit par penser qu'il est plus important de profiter du temps présent, que de courir après des chimères…

La littérature mésopotamienne

Fondé sur une longue tradition orale et écrite refondue au cours des siècles, «Le Poème de la Création» babylonien nous raconte les origines du monde, alors que n'existaient ni le ciel ni la terre, mais l'océan primordial, immense masse liquide d'où sont nées des générations successives de dieux. L'homme, créé pour servir les dieux, est né du sang d'un dieu déchu mêlé à de l'argile. Après sa mort, «[il descend au royaume] du pays sans retour, vers la demeure où ceux qui entrent sont privés de lumière», où l'on se nourrit de poussière et d'argile. Les anciens penseurs babyloniens expliquaient ainsi la création de la Terre, la vie et la mort des hommes.

L'œuvre maîtresse de la littérature est «L'Epopée de Gilgamesh». Son héros est un très ancien roi d'Uruk, devenu légendaire. Une tradition poétique, d'abord orale, donne naissance à un cycle de légendes en langue sumérienne, dont les Assyriens ont tiré un poème épique en douze chants, qui illustre le thème de l'inquiétude de l'homme devant la mort et sa quête de l'immortalité. Avec Enkidu, un être sauvage devenu son ami, Gilgamesh accomplit des exploits fabuleux. Il combat le taureau céleste envoyé par la déesse Ishtar pour le tuer, tue le géant Humbaba, le gardien monstrueux de la forêt des cèdres… Mais Enkidu meurt et Gilgamesh, désespéré, part à la conquête de la «plante d'immortalité», au-delà des eaux de la mort. Il rencontre, en chemin, le sage Utanapishtim, qui a inspiré la figure du Noé biblique, seul survivant du Déluge, qui lui raconte comment il a échappé à la catastrophe et pris place parmi les immortels. Gilgamesh ne peut garder la «plante de vie» et doit accepter le dur destin des hommes. La Bible et, à travers elle, notre civilisation occidentale plongent leurs racines dans les grands thèmes de cette littérature qui tente d'expliquer les origines du monde et les mystères de la nature par des mythes, des satires ou des proverbes.

LE DÉLUGE (IXe tablette de l'Epopée de Gilgamesh, trouvée à Ninive, dans la bibliothèque d'Assurbanipal). «Les grands dieux décidèrent un jour de faire le Déluge, Ea parmi eux siégeait, il me répéta leurs paroles : "Démolis ta maison et construis un bateau, abandonne tes richesses, cherche seulement la vie, embarque dans le bateau toutes les espèces vivantes." Lorsque le matin parut un peu de jour, voici que monta à l'horizon une noire nuée, l'effrayant silence d'orage passa à travers le ciel et changea en ténèbres tout ce qui était lumineux. La Terre se brisa comme une jarre. Six jours et sept nuits souffla le vent diluvien. Lorsque arriva le septième jour, calme redevint la mer et silencieux le vent mauvais et le Déluge cessa. J'ouvris une lucarne, c'était le silence et tous les peuples étaient redevenus argile […]. Lorsqu'arriva le septième jour […] je fis sortir un corbeau et le lâchai, il ne fit pas demi-tour. Alors, vers les quatre points cardinaux, je fis un sacrifice aux dieux.»

Les mystères de l'écriture cunéiforme

Des inscriptions gravées dans le roc à Persépolis ont permis de déchiffrer plusieurs écritures anciennes, à partir de 1802. Le même texte avait été écrit par le roi perse Xerxès en trois langues : le vieux perse, qui présente un nombre restreint de caractères et des affinités avec le persan moderne, livra des bases pour la compréhension de la seconde, l'élamite, qui, ne ressemblant à aucune langue connue, n'est pas encore entièrement déchiffrée. Il fallut plus de cinquante ans pour décrypter la troisième, le babylonien, langue sémitique (comme l'arabe ou l'hébreu modernes), comportant plusieurs centaines de caractères. A partir de 1880, des fouilles en Mésopotamie révèlent la langue sumérienne, morte depuis 4000 ans. Elle a été déchiffrée grâce aux dictionnaires bilingues «sumérien-babylonien» laissés par les anciens scribes.

LE PREMIER DOCUMENT INSCRIT EN CUNÉIFORME visible en Europe est une stèle trouvée près de Bagdad, rapportée en France en 1786 par le botaniste **Michaux**. Son texte, juridique, donna lieu aux déchiffrements les plus fantaisistes.

LE MAJOR ANGLAIS H. C. RAWLINSON fut le déchiffreur génial des écritures cunéiformes. En 1846, grâce aux inscriptions trilingues du **rocher de Bisotun** en Iran, ici dessiné par lui, et à sa connaissance des langues orientales modernes, il acheva le déchiffrement du vieux perse. Au cours de séjours successifs, il perça les mystères du babylonien. Il copia, au péril de sa vie, les inscriptions racontant les exploits du roi **Darius**, gravées à 100 m de hauteur : «Debout sur la plus haute marche d'une échelle, sans autre support que mon corps maintenu le plus près possible du rocher à l'aide du bras gauche, je copiai ainsi [...] et l'intérêt de mon occupation m'enlevait tout sens du danger.»

INSCRIPTION URARTÉENNE d'**Argishti I**er (vers 780-760 av. J.-C.). L'écriture cunéiforme fut introduite en Urartu, entre 900 et 800 av. J.-C., par le roi **Sarduri** pour commémorer, dans la langue assyrienne de ses voisins, un événement de son règne. C'est son successeur, **Ishpuini**, qui fera

rédiger, en utilisant toujours l'écriture cunéiforme, les premiers documents en urartéen. Dès lors, les souverains inscriront leurs annales sur les parois rocheuses de leur capitale ou sur des stèles.

DES STÈLES étaient dressées en certains points du territoire pour commémorer des événements remarquables, comme le voyage d'un roi. Par une inscription, en assyrien et en urartéen, la **stèle de Kelishin** célèbre la générosité du roi Ishpuini à l'égard du temple de Musasir, lors de son passage dans la région.

Dans la ville de **Tushpa**, les bronziers exécutèrent un trône monumental, sans doute pour une statue divine. Des **caryatides** (à droite) supportaient la construction, selon une technique que l'on rencontre parfois dans les reliefs assyriens.

L'Urartu

Grâce à l'unification des tribus autour du lac de Van, au nord de la Mésopotamie, se constitue un des plus puissants royaumes de l'Antiquité, vers 850 avant Jésus-Christ. L'Urartu s'oppose aux incursions de son voisin assyrien avant de se lancer lui-même dans une guerre de conquêtes. Tirant sa puissance de ses contacts avec les régions de l'Ouest, riches en ressources minières, l'Urartu mène une série d'expéditions militaires et se dote de forteresses pour sa sécurité et son administration. Un réseau de routes permet au royaume de tenir tête aux Assyriens jusqu'en 714 avant Jésus-Christ.

LA MÉTALLURGIE, qui est l'originalité principale de l'art urartéen, trouva sa meilleure expression dans l'armement (casques pointus, boucliers, etc.) et devait avoir atteint un haut niveau technologique pour fournir les outils nécessaires à l'équarrissage des pierres utilisées dans les constructions.

LES FORTERESSES du royaume assuraient l'administration et l'exploitation économique des régions et, avant tout, leur défense. Pour ce faire, les édifices fortifiés étaient placés au sommet de hauteurs en des endroits stratégiques et construits en gros blocs de pierre pour asseoir leur solidité.

LE LAC DE VAN et le rocher sur lequel fut construite **Tushpa**, la capitale du royaume, à partir de 850 av. J.-C. environ. Si Tushpa était la capitale, **Musasir** était la ville sainte du royaume, où régnait le grand dieu de l'Urartu, **Haldi**, à qui étaient offerts de riches présents lors de pèlerinages. La destruction de la ville par Sargon II d'Assyrie en 714 av. J.-C., qui emporta avec lui les richesses du dieu de son ennemi, le roi **Rusa**, signifia la fin du royaume de l'Urartu.

160

Les peuples de l'Orient ancien

AHURA MAZDA
Le «Seigneur sage»,
dieu dynastique
des Perses,
émerge du disque
solaire ailé.

(*Lecture* : le «u»
des noms propres
se prononce «ou»,
à l'exception de Sumer
et de Suse).

En 539 avant Jésus-Christ, l'empire perse unifie l'Orient. Les routes commerciales et les alliances princières ont créé des liens entre des régions éloignées, que leur situation géographique très différente destinait à des modes de vie distincts. L'écriture cunéiforme a donné aux civilisations de l'Orient une certaine communauté de culture.

TÊTE DE PRINCE PERSE

DARIUS,
le «Grand Roi,
Roi des Rois,
le Roi des pays,
l'**Achéménide**», porté
par les vingt-trois
nations de son empire.
«Si tu penses :
"Combien de pays
possédait le roi
Darius ?", regarde
l'image de ceux
qui soutiennent
mon trône et tu sauras
que l'Homme perse
a bataillé loin
de la Perse.»

161

Suse et l'Elam

Fondée, il y a 6000 ans, dans une plaine fertile du sud de l'Iran, Suse est à la frontière de deux mondes : d'un côté, la plaine mésopotamienne, dont la Susiane est le prolongement vers l'est, et, de l'autre, le plateau iranien. Elle est un point de passage entre ces deux zones géographiques. De cette situation dépend son histoire mouvementée, qui la voit s'enrichir des influences conjuguées de la riche civilisation de Sumer et de la culture plus archaïque, des montagnards.

Dès l'origine, les morts sont enterrés avec une hache en cuivre, ce qui révèle une métallurgie déjà développée. Suse est alors rattachée à la culture du plateau iranien : les cachets et la vaisselle de luxe portent un décor abstrait, où l'homme est figuré de façon peu réaliste. Par superstition le visage humain n'est pas représenté. Des cachets, destinés à sceller les marchandises, attestent des pratiques de comptabilité vers 3000 avant Jésus-Christ.

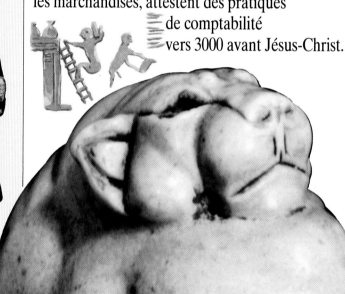

L'ART DES POTIERS SUSIENS
La première installation susienne (vers 4000 av. J.-C.) nous a livré une vaisselle de luxe, composée de coupes et de grands gobelets de 30 cm de hauteur, qui ont été découverts dans les tombes et les maisons. Leur décor peint représente surtout des animaux, harmonieusement stylisés : des bouquetins, avec leurs cornes démesurées, des oiseaux échassiers, dont on ne voit plus que le long cou, des chiens, étirés dans l'attitude de la course.

mythique très archaïque, symbolisant le souffle vital des animaux.

Le bouquetin et le serpent sont les symboles des forces de la Terre qu'ils dominent.

L'inspiration de cet art imaginaire vient des sociétés montagnardes du plateau iranien, confrontées aux bêtes sauvages et aux forces de la nature.

SCEAU DU CHANCELIER du roi **Idadu II** tenant une hache dont la lame est crachée par la gueule d'un serpent monstrueux.

ORANT (ci-contre) Vers 3300 av. J.-C., **Suse**, tournée alors vers la culture mésopotamienne, adopte dans son art la figure de l'homme.

LA DÉESSE NARUNDI, trônant sur des lions porte une inscription en écriture **élamite.**

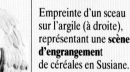

Empreinte d'un sceau sur l'argile (à droite), représentant une **scène d'engrangement** de céréales en Susiane.

BOL DÉCORÉ d'un bouquetin.

DIEU en cuivre, autrefois entièrement plaqué or.

LES CACHETS, qui servaient à sceller des objets, témoignent d'une certaine gestion des marchandises. Leur décor représente le «maître des animaux», génie à corps humain et à tête ou à cornes de bouquetin, figure

PENDENTIF EN OR, en forme de chien.

ORANTE

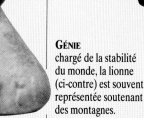

GÉNIE chargé de la stabilité du monde, la lionne (ci-contre) est souvent représentée soutenant des montagnes.

162

VASE «À LA CACHETTE»
Dans un grand vase peint, dont une écuelle renversée formait le couvercle, environ quatre-vingts objets furent cachés, vers 2450 av. J.-C. Ils donnent un aperçu assez complet de la civilisation de **Suse** à ce moment de son histoire. Des vases, des armes

ces objets de métal ont été rassemblés pour leur poids, afin d'effectuer un paiement. Le vase contenait aussi des sceaux cylindriques mésopotamiens et quelques objets précieux. Entre autres objets, des vases d'**albâtre rubané**, importés

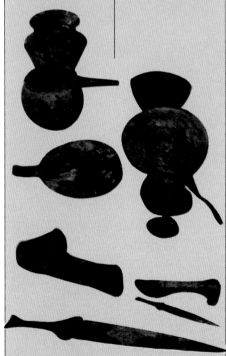

et des outils en cuivre ou en bronze révèlent une métallurgie très élaborée. L'analyse du cuivre a permis de savoir qu'il était importé de la péninsule d'**Oman**. La présence de lingots fait penser que tous

d'Iran oriental. A cette époque, Suse recherche les matières premières qui lui manquent vers l'est, riche en belles pierres exotiques comme la **serpentine** ou l'albâtre.

S use devient une ville vers 3500 avant Jésus-Christ. Elle développe une civilisation semblable à celle d'Uruk en Mésopotamie. Naît alors un art nouveau, représentant des scènes réalistes, où l'homme est le sujet central. Le décor des sceaux s'illustre d'activités quotidiennes agricoles et artisanales, comme l'engrangement des récoltes, ou la confection de la poterie. C'est le début des échanges commerciaux à longue distance, pour aller chercher des minerais sur le plateau iranien.

V ers 3000 avant Jésus-Christ, Suse échappera à l'influence mésopotamienne et tombera sous le contrôle des populations montagnardes de l'Elam, le «Pays haut». Cette civilisation du Sud-Est iranien cultive son identité en créant un système d'écriture original, inspiré de l'écriture cunéiforme sumérienne ; appelé proto-élamite, il n'est pas encore déchiffré. L'art retrouve alors une inspiration animalière : des génies ou des animaux, chargés de l'équilibre du monde, portent des montagnes, dans une attitude humaine.

A la suite d'incursions, Suse revient dans l'aire d'influence mésopotamienne de 2350 à 2100 avant Jésus-Christ. Un modeste Etat élamite, resté indépendant, reprend provisoirement le pouvoir à Suse, vers 2200 avant Jésus-Christ. La ville prospère autour du temple du dieu Inshushinak, le «Seigneur de Suse». Cette renaissance élamite se concrétise par la création d'une écriture spécifique pour noter la langue élamite, différente de l'écriture cunéiforme qui transcrit l'akkadien, alors parlé à Suse.

A près une autre période mésopotamienne, entre 2100 et 1900 avant Jésus-Christ, sous l'empire d'Ur, la ville rentre, pour de longs siècles, dans la communauté élamite. Son grand dieu, Napirisha, trône sur un serpent monstrueux, symbole de l'eau et de la vie souterraine, où habitent les forces surnaturelles qui entourent les hommes et sont à la source de leur inspiration artistique.

LA BACTRIANE
A l'est et au sud du plateau iranien, d'autres civilisations sont en contact avec la Mésopotamie et l'Elam. La Bactriane, en Asie centrale (actuel Afghanistan), possède une industrie de luxe dont les principales activités sont le travail des pierres tendres, la métallurgie et l'orfèvrerie. Parmi ses productions artistiques, prennent place d'étonnantes statuettes masculines, au visage parfois bestial, homme ou

génie au visage balafré (ci-dessus) dont la peau est recouverte de poils ou d'écailles. Des statuettes composites en pierre de chlorite verte et en calcaire blanc figurent des femmes vêtues d'amples robes à crinoline, peut-être les portraits des reines élamites que nous connaissons par les sceaux de la ville d'Anshan. Autant d'objets qui démontrent les liens étroits qui unissent les civilisations de l'Elam et de la Bactriane vers 2000 av. J.-C.

La ville des dieux

Une dynastie rassemble Suse et l'Elam vers 1250 avant Jésus-Christ. Le roi Untash-Napirisha fonde une ville royale et religieuse, Al-Untash, l'actuelle Tchoga Zanbil, près de Suse. Le temple de la cité sainte est consacré à Inshushinak. Le roi transformera ce bâtiment carré à cour centrale en une ziggurat, haute de 60 mètres, dont les quatre étages sont empilés les uns sur les autres.

ORANT en or qui fait partie d'un dépôt funéraire royal, près du temple d'**Inshushinak**, à Suse.

LA REINE NAPIR-ASU La métallurgie atteint son apogée avec cette statue, en bronze, grandeur nature, de la reine **Napir-Asu**, épouse du roi d'Elam **Untash-Napirisha**. Elle porte une robe brodée et un châle. L'inscription énumère des offrandes aux dieux pour la protection de la statue et les malédictions contre ceux qui la profaneraient.

RECONSTITUTION DE LA ZIGGURAT DE AL-UNTASH (actuelle Tchoga Zanbil), en briques crues revêtues d'un parement de briques cuites.

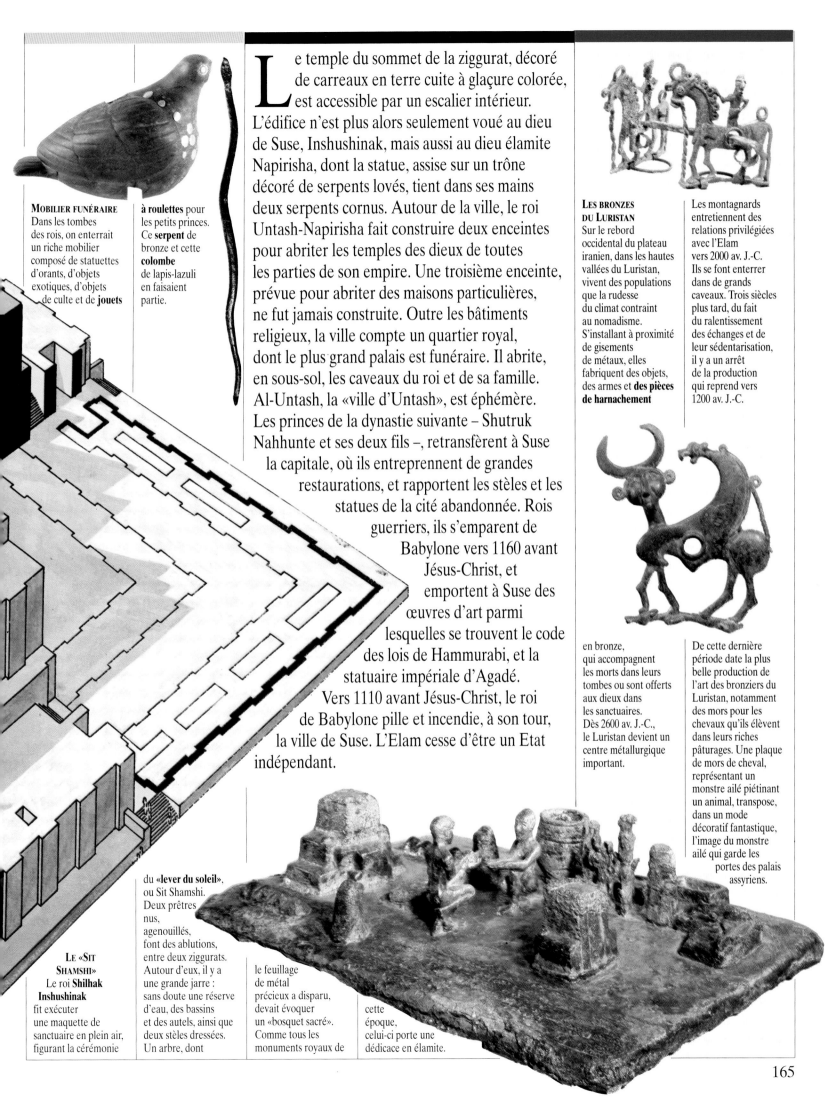

MOBILIER FUNÉRAIRE
Dans les tombes des rois, on enterrait un riche mobilier composé de statuettes d'orants, d'objets exotiques, d'objets de culte et de **jouets**.

à roulettes pour les petits princes. Ce **serpent** de bronze et cette **colombe** de lapis-lazuli en faisaient partie.

Le temple du sommet de la ziggurat, décoré de carreaux en terre cuite à glaçure colorée, est accessible par un escalier intérieur. L'édifice n'est plus alors seulement voué au dieu de Suse, Inshushinak, mais aussi au dieu élamite Napirisha, dont la statue, assise sur un trône décoré de serpents lovés, tient dans ses mains deux serpents cornus. Autour de la ville, le roi Untash-Napirisha fait construire deux enceintes pour abriter les temples des dieux de toutes les parties de son empire. Une troisième enceinte, prévue pour abriter des maisons particulières, ne fut jamais construite. Outre les bâtiments religieux, la ville compte un quartier royal, dont le plus grand palais est funéraire. Il abrite, en sous-sol, les caveaux du roi et de sa famille. Al-Untash, la «ville d'Untash», est éphémère. Les princes de la dynastie suivante – Shutruk Nahhunte et ses deux fils –, retransfèrent à Suse la capitale, où ils entreprennent de grandes restaurations, et rapportent les stèles et les statues de la cité abandonnée. Rois guerriers, ils s'emparent de Babylone vers 1160 avant Jésus-Christ, et emportent à Suse des œuvres d'art parmi lesquelles se trouvent le code des lois de Hammurabi, et la statuaire impériale d'Agadé.
Vers 1110 avant Jésus-Christ, le roi de Babylone pille et incendie, à son tour, la ville de Suse. L'Elam cesse d'être un Etat indépendant.

LES BRONZES DU LURISTAN
Sur le rebord occidental du plateau iranien, dans les hautes vallées du Luristan, vivent des populations que la rudesse du climat contraint au nomadisme. S'installant à proximité de gisements de métaux, elles fabriquent des objets, des armes et **des pièces de harnachement**

Les montagnards entretiennent des relations privilégiées avec l'Elam vers 2000 av. J.-C. Ils se font enterrer dans de grands caveaux. Trois siècles plus tard, du fait du ralentissement des échanges et de leur sédentarisation, il y a un arrêt de la production qui reprend vers 1200 av. J.-C.

en bronze, qui accompagnent les morts dans leurs tombes ou sont offerts aux dieux dans les sanctuaires. Dès 2600 av. J.-C., le Luristan devient un centre métallurgique important.

De cette dernière période date la plus belle production de l'art des bronziers du Luristan, notamment des mors pour les chevaux qu'ils élèvent dans leurs riches pâturages. Une plaque de mors de cheval, représentant un monstre ailé piétinant un animal, transpose, dans un mode décoratif fantastique, l'image du monstre ailé qui garde les portes des palais assyriens.

LE «SIT SHAMSHI»
Le roi **Shilhak Inshushinak** fit exécuter une maquette de sanctuaire en plein air, figurant la cérémonie du «lever du soleil», ou Sit Shamshi. Deux prêtres nus, agenouillés, font des ablutions, entre deux ziggurats. Autour d'eux, il y a une grande jarre : sans doute une réserve d'eau, des bassins et des autels, ainsi que deux stèles dressées. Un arbre, dont le feuillage de métal précieux a disparu, devait évoquer un «bosquet sacré». Comme tous les monuments royaux de cette époque, celui-ci porte une dédicace en élamite.

L'empire hittite

Sur le haut plateau anatolien, au cœur de la Turquie actuelle, une aristocratie indo-européenne fonde l'empire hittite vers 1650 avant Jésus-Christ. Le roi Hattusili Ier installe sa capitale à Hattusha (près de l'actuel Bogazköy). L'histoire de l'Etat est troublée par des guerres continuelles, en Syrie du Nord notamment. En 1595, Mursili Ier mène un raid sur Babylone et met fin à la dynastie fondée par Hammurabi. Vers 1350, après la soumission de tous les pays alentour, l'empire devient une grande puissance, l'égale de l'Egypte et de Babylone. Il s'effondre pourtant vers 1200 avant Jésus-Christ dans des circonstances obscures.

Grâce à la diversité des peuples qui composaient l'empire, les influences réciproques ont donné naissance à une civilisation riche et originale centrée sur la personne du roi appelé «Mon Soleil». Monarque absolu, il était le représentant sur Terre de Teshub, le dieu de l'orage, qui lui avait confié le pays hittite dont il était le juge suprême. Il avait des devoirs religieux. Des reliefs sculptés le représentent souvent en train d'officier dans des cérémonies. Fait rare dans l'Antiquité, la reine était un personnage très important. Elle portait le titre de «Tawananna» (Grande Reine), qu'elle conservait à la mort de son époux, assumant des fonctions religieuses.

L'histoire des Hittites ne se termine pas avec la disparition de l'empire et la destruction de sa capitale, au XIIe siècle avant Jésus-Christ. Dans les provinces orientales et méridionales, en Anatolie orientale, sur les bords de l'Euphrate et dans le nord de la Syrie, de petits royaumes ou principautés «néo-hittites» en perpétuent la civilisation pendant cinq siècles encore. L'écriture hiéroglyphique hittite – faite de pictogrammes représentant des animaux, des parties du corps humain, des objets de la vie quotidienne et des symboles religieux –, utilisée sous l'empire pour transcrire les noms des rois et des dieux, connaît alors une grande expansion. Elle couvre les stèles commémoratives et les reliefs rupestres.

TRAITÉ D'ALLIANCE, passé entre le Grand Roi hittite **Tudhaliya IV** et **Kurunta,** roi du pays de **Tarhuntassa,** en **Anatolie du Sud,** sous la garantie des grands dieux, vers 1235 av. J.-C. Découvert en 1986 à Bogazköy par des archéologues allemands, il était accroché à la porte des Sphinx, au rempart sud de la ville. La politique d'expansion hittite engendra de nombreux traités d'alliance ou de paix avec les souverains voisins.

SCEAU ROYAL Les rois hittites imprimaient leur sceau sur les documents officiels. Seuls deux cachets royaux originaux ont été retrouvés, dont ce sceau de **Mursili II,** roi vers 1330 av. J.-C. Au centre, le monogramme du roi, sous le soleil ailé, emblème de **«Mon Soleil»,** le titre royal. Dans les cercles extérieurs, le nom du roi et sa titulature sont écrits en caractères cunéiformes.

HATTUSHA, CAPITALE DES HITTITES Hattusha est bâtie dans un site montagneux imprenable. Vers 1400 av. J.-C., le roi **Suppiluliuma** en fait une grande capitale. La «ville haute» est protégée par un double rempart, à puissantes tours, percé de portes décorées de lions, de sphinx ou de l'image d'un dieu gardien.

Le tracé des fortifications suit le relief accidenté du terrain. La citadelle, surplombant un ravin de 100 m, comporte le palais royal. La «ville basse» s'étend près du grand temple dédié au dieu de l'Orage et à son épouse.

VASES À LIBATION en forme de taureaux, animaux sacrés du dieu de l'Orage, que l'on priait pour qu'ils intercèdent auprès de leur maître. Ces deux statuettes de terre cuite (ci-dessus et en bas) ont fait l'objet d'un ensevelissement rituel.

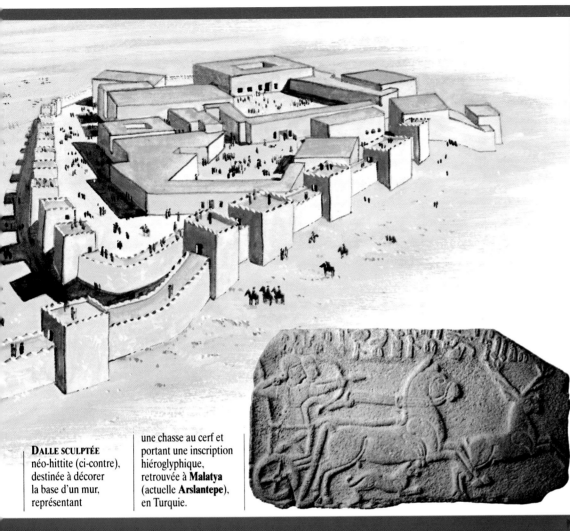

DALLE SCULPTÉE
néo-hittite (ci-contre),
destinée à décorer
la base d'un mur,
représentant
une chasse au cerf et
portant une inscription
hiéroglyphique,
retrouvée à **Malatya**
(actuelle **Arslantepe**),
en Turquie.

**LE SANCTUAIRE
DE YAZILIKAYA,**
à 2 km de Hattusha,
aménagé à ciel ouvert
vers 1250 av. J.-C.
dans un défilé rocheux,
servait à la célébration
de **mystères**. Un relief
(ci-dessous) raconte
les noces divines. Deux
cortèges marchent
l'un vers l'autre,
conduits par les grands
dieux identifiables
grâce aux hiéroglyphes
de leur nom.

Le dieu de l'Orage,
Teshub, roi
du panthéon, est porté
par deux dieux-
montagnes.
Son épouse, **Hépat**,
devant lui, est debout
sur une panthère.
Derrière elle, vient
le dieu-fils, **Sharruma**.
Un autre couloir
en plein air (ci-dessus)
montre le roi Tudhaliya
IV, protégé par
Sharruma, se dirigeant

LA PORTE DES SPHINX
Le site d'**Alaca Höyük**
a conservé sa porte des
Sphinx, hauts de 2 m
chacun. Elle est
décorée de reliefs
sculptés représentant
une procession
sacrificielle. Elle se
dirige vers un autel où
trône le dieu de
l'Orage représenté par
un taureau. Le roi,
maître des cérémonies,
porte un long manteau,
insigne de sa dignité
de prêtre. Le rite
s'accomplit également
devant la grande déesse
du Soleil, Hépat.

DIEU HITTITE
en or, coiffé
de la haute tiare
à cornes, symbole
de la divinité.

vers un dieu dont
le corps se termine
par une épée.
Des processions
de dieux
mineurs
animent
les autres
parois.

**TEMPLE
AUX OBÉLISQUES**
à Byblos.

Les ports du Levant

La côte asiatique de la Méditerranée bénéficie d'une situation de carrefour entre l'Orient et l'Occident ; elle était, dans l'Antiquité, une zone de transit qui abritait de petits royaumes aux civilisations disparates et aux peuples bigarrés. Le port de Byblos, au Liban, entretenait avec l'Egypte des relations privilégiées vers 1800 avant Jésus-Christ. Les princes de la ville se faisaient enterrer avec de riches bijoux d'or, cadeaux des pharaons ou imitations locales. Le temple principal abritait une grosse pierre levée, appelée «massebah», «demeure de Dieu» en langue cananéenne. Dans la cour entourant la cella – la salle centrale où se trouve la statue du dieu – une trentaine d'obélisques avaient été dressés par les fidèles pour garder le souvenir de leur dévotion.

DIEUX SYRIENS en bronze avec placage en or. De gauche à droite, un dieu en costume royal syrien (1600 av. J.-C.), puis un dieu guerrier (1300 av. J.-C.) dans l'attitude du dieu de l'Orage qui brandit sa masse d'armes. Ce dieu illustre le brassage culturel de l'époque : il porte la couronne blanche des pharaons d'Egypte.

Plus au nord, le royaume d'Ugarit, l'actuelle ville de Ras Shamra en Syrie, était lui aussi très florissant. Un grand palais, d'une surface supérieure à un hectare, demeure du roi et siège de l'administration, y fut construit vers 1300 avant Jésus-Christ. La richesse d'Ugarit, bâtie sur une côte fertile, tenait à sa localisation, à la jonction des routes terrestres et maritimes, entre le monde égéen et les régions orientales. Des bateaux partaient vers Chypre, la Turquie, la Crète et, plus au sud, vers la Palestine et l'Egypte. Les exportations consistaient en produits agricoles (comme le grain, l'huile d'olive et le vin) ou en bois, en objets en métaux précieux et en ivoire travaillés localement. Des éléphants vivaient encore à cette époque dans certaines régions de Syrie, ce qui explique qu'une grande quantité d'œuvres d'art aient été réalisées en ivoire.

BAAL AU FOUDRE D'UGARIT
Un cycle poétique raconte les exploits de Baal, protecteur des marins. Le dieu enfonce dans le sol sa lance prolongée par un rameau végétal. Il est la pluie du ciel qui tombe après l'éclair d'orage. Puis il se fait construire un palais, car il trône sur le mont Saphon, qui domine Ugarit et «Baal n'a pas de maison comme les autres dieux». Enfin, il affronte Môt, la Mort, qui le tue. El, le dieu suprême, prend le deuil et **Anat**, la sœur et épouse de Baal, va le sauver. La disparition et le retour de Baal symbolisent le rythme des saisons : l'été sec et l'automne humide.

DIEU OU ROI DIVINISÉ

COUVERCLE DE BOITE en ivoire, provenant de Minet el-Beïda, représentant la grande déesse de **Mycènes**.

Enfin, le grand dieu **El**, (1300 av. J.-C.) assis, coiffé de la forme syrienne de la couronne égyptienne **atef**. L'incrustation des yeux a disparu.

L a population d'Ugarit et de son port de Minet el-Beïda était cosmopolite, ses relations diplomatiques et son commerce étaient internationaux. Les milliers de documents épigraphiques, mis au jour par des fouilles, révèlent l'usage de huit langues et de cinq systèmes d'écriture cohabitant dans la ville. C'est dans ce contexte polyglotte qu'un alphabet cunéiforme a été élaboré, ancêtre de celui que les Phéniciens transmettront plus tard au monde. Il servait à écrire en langue locale des textes administratifs, des lettres privées, des légendes, qui racontent les exploits de rois héroïques, ou bien encore des récits mythologiques. Ceux-ci mettent en scène El, le dieu suprême, créateur des hommes et père des dieux, son épouse Asherat, la «dame de la mer», Baal – le dieu jeune, divinité principale du panthéon, dieu de l'Orage et de la Fertilité de la végétation, appelé le «chevaucheur des nuées», qui apporte la pluie bienfaisante –, et sa sœur Anat, déesse d'Amour ou de Guerre. Tous sont soumis à des passions très humaines.

VASE ÉGÉEN décoré d'un poulpe, trouvé à **Minet el-Beïda**, témoin du commerce international dans le port d'Ugarit.

BOITE À FARD en ivoire, en forme de canard, d'inspiration égyptienne.

Tablette en akkadien relatant le divorce du roi d'Ugarit d'avec la fille du roi d'**Amurru**, à cause du mauvais caractère de la princesse. Le juge est le roi hittite qui a imprimé son sceau.

COUPE EN OR d'Ugarit représentant une chasse royale. Le chasseur a attaché les rênes à sa taille pour bander son arc. Tandis qu'il poursuit une chèvre, un taureau charge le char.

169

Les Phéniciens

Ils vivaient dans des cités-Etats portuaires et cultivaient la terre de l'arrière-pays. Marchands accomplis, dès le XIIe siècle avant Jésus-Christ, ils ont développé le commerce maritime qui a assuré leur richesse et leur expansion à travers la Méditerranée jusqu'au Ier siècle avant Jésus-Christ. Ils fabriquaient des tissus teints à la pourpre, qu'ils tiraient d'un coquillage, le murex. Ils produisaient aussi de la verrerie, grâce au sable, disponible sur les plages, et travaillaient les métaux précieux et l'ivoire.

PORT PHÉNICIEN
On trouve mention des Phéniciens dans les textes à partir de 1200 av. J.-C. Ce nom, donné par les Grecs, signifierait «rouge-brun», du nom de la couleur de leur peau basanée, et de la pourpre qu'ils fabriquaient pour teindre les vêtements. Ils étaient établis le long de la côte syro-libanaise, dans des ports comme **Byblos**, **Tyr** ou **Sidon**.

BATEAU PHÉNICIEN
La réputation de hardis marins faisait des commerçants phéniciens de bons intermédiaires dans les échanges entre les pays. Ils possédaient des comptoirs sur toutes les côtes de la Méditerranée et transportaient des matières premières, comme des métaux d'Espagne et de Chypre, du lin d'Égypte, ou des produits finis, comme les vases grecs.

171

**SCEAU
D'UNE REINE HITTITE**
en akkadien.

Au centre, le nom
de son fils, le roi
Tudhaliya, est écrit
en hiéroglyphes
hittites, dans
une langue locale,
vers 1400 av. J.-C.

**DÉPOT DE FONDATION
D'UN TEMPLE**
Dédicace au dieu
Pirigal en langue
hurrite, écrite
en cunéiformes
en Syrie du Nord,
vers 2000 av. J.-C.

**DIFFUSION
DE L'ÉCRITURE
CUNÉIFORME**

**LETTRE D'UN PRINCE
DE BYBLOS**
au pharaon d'Egypte
lui demandant
des secours contre
ses voisins qui le
menacent d'invasion.
Le prince parle
le **cananéen**, langue
ancêtre du **phénicien**,
le pharaon parle
égyptien ; mais
ils se comprennent
par le truchement
de l'**akkadien**,
vers 1350 av. J.-C.

**ECRITURE
CUNÉIFORME
ET ÉCRITURE
ALPHABÉTIQUE**
Deux scribes écrivent,
l'un sur une tablette
d'argile en écriture
cunéiforme, l'autre sur
du papyrus en écriture
alphabétique. A partir
de 1000 av. J.-C.,
la société
mésopotamienne
change, et la langue
araméenne, écrite
à l'aide d'un alphabet
proche du phénicien,
concurrence l'akkadien
et son écriture
cunéiforme
compliquée.
La langue araméenne
finit par remplacer
l'akkadien.

La diffusion de l'écriture

L'écriture cunéiforme vécut pendant plus
de 3000 ans. Elle fut utilisée dans tous les pays du
Moyen-Orient pour noter de nombreuses langues
de familles très différentes. Le sumérien, la langue
du peuple qui inventa l'écriture, devint une langue
morte vers 2000 avant Jésus-Christ. Il resta
pourtant toujours la langue de culture
de la Mésopotamie, comme le latin le sera
au Moyen Age, en Europe. L'akkadien
le remplaça comme langue courante. Sous une
forme évoluée, le babylonien, ce fut celle du roi
de Babylone, Nabuchodonosor, dont le nom
est associé à la «tour de Babel».
L'akkadien eut un grand rayonnement.
Il servait de langue internationale d'échanges
jusqu'en Egypte, vers 1500 avant Jésus-Christ,
un peu comme l'anglais actuellement. Les traités
diplomatiques internationaux étaient
bilingues, chaque souverain
écrivant en akkadien et dans
sa propre langue. L'écriture
cunéiforme resta toujours
compliquée ; aussi, alors
même que sa diffusion était
à son apogée, sur la côte est de la
Méditerranée, un système d'écriture
plus simple commença à se former,
puis à se répandre : ce fut l'alphabet.

**BAS-RELIEF
AUX GUERRIERS**
Il comporte une
inscription
en langue élamite
rédigée en caractères
cunéiformes. L'élamite
était parlé à Suse après
1000 av. J.-C.,
alors que
l'akkadien commençait
à décliner.

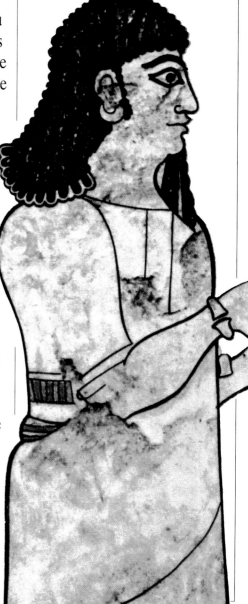

Le roi **Darius**, en 515 av. J.-C., écrivait ses hauts faits en **vieux perse**, dans une écriture cunéiforme simplifiée de 36 caractères, ce qui en a permis le déchiffrement.

RELIEF FUNÉRAIRE de Palmyre (Syrie) portant une inscription en araméen tardif, vers 250 av. J.-C.

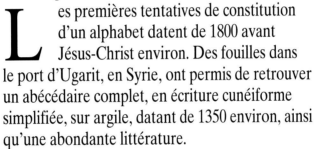

L'invention de l'alphabet

L'alphabet est un système d'écriture comportant un nombre restreint de signes : les lettres. Elles permettent de transcrire les sons simples d'une langue : les consonnes et les voyelles.

ABÉCÉDAIRE D'UGARIT (vers 1350 av. J.-C.).

Ce fut une invention des peuples marchands, qui vivaient du commerce maritime avec les pays riverains de la Méditerranée, soucieux de communiquer rapidement avec tous leurs clients grâce à une écriture facile à apprendre et à comprendre.

L es premières tentatives de constitution d'un alphabet datent de 1800 avant Jésus-Christ environ. Des fouilles dans le port d'Ugarit, en Syrie, ont permis de retrouver un abécédaire complet, en écriture cunéiforme simplifiée, sur argile, datant de 1350 environ, ainsi qu'une abondante littérature.

P lus au sud, à Byblos en Phénicie (sur la côte libanaise), vers 1100 avant Jésus-Christ, les scribes utilisaient un alphabet de vingt-deux signes ne notant que des consonnes en lettres linéaires, c'est-à-dire en abandonnant toute référence à l'écriture cunéiforme. Le phénicien est une langue sémitique, comme l'arabe et l'hébreu, dont l'écriture ne note pas les voyelles.

Le papyrus, léger et facile à transporter, fut le support privilégié de cet alphabet, que les Grecs adapteront à leur langue vers 900 avant Jésus-Christ. Ils inventeront en plus les voyelles. Ils transmettront leur système d'écriture aux Romains, par l'intermédiaire des Etrusques. Cet alphabet latin de vingt-six lettres est maintenant le nôtre.

Les cinq premières lettres de l'alphabet hébreu ancien : **aleph**, **beth**, **gimel**, **daleth**, **he**, vers 850 av. J.-C.

Dédicace en **phénicien** d'une statue du roi d'Egypte **Osorkon**, par un roi de **Byblos**, vers 900 av. J.-C.

Ivoire au nom d'**Hazael**, roi de **Damas**, en **araméen**, vers 800 av. J.-C.

Stèle du chamelier **'Idjl** (ci-dessous) en alphabet sud-arabique, au Yémen, vers 250 av. J.-C.

Les Perses

Cyrus le Grand fonde l'empire achéménide et s'empare de Babylone en 539 avant Jésus-Christ. Darius (522-486) établit à Persépolis la capitale religieuse, où la cérémonie du Nouvel An réunit tous les peuples de l'Empire chargés de présents. En montant par l'escalier monumental vers la salle d'audience du roi, ils découvrent des reliefs sculptés représentant l'armée, des dignitaires et des porteurs de tribut, symboles de la puissance de l'Empire qui s'étend de l'Inde à l'Egypte.

RHYTON EN ARGENT
Vase à boire en forme de corne décoré d'une tête de gazelle. Ces objets précieux sont représentés sur les reliefs de Persépolis dans les mains des porteurs de présents.

LES «IMMORTELS»
Les gardes du roi de l'empire perse étaient nommés «Immortels», car lorsque l'un d'eux mourait au combat, il était immédiatement remplacé. Ils étaient toujours au nombre de 10 000.

ANSE DE VASE
en forme de bouquetin ailé.

175

Représentation de l'**Arche d'alliance** qui contenait les **«Tables de la Loi»**, révélées à **Moïse** sur le **mont Sinaï**.

MAQUETTE DE TEMPLE évoquant celui que **Salomon** fit construire à **Jérusalem** pour **Yahvé**, le Dieu unique, dont Moïse avait eu la révélation sur le mont Sinaï, à la fin de l'**Exode d'Egypte**. A l'intérieur tout était en or ; même les murs et le sol, revêtus de cèdre odorant, étaient recouverts d'or. Le règne du roi Salomon (970-931 av. J.-C.), marque l'apogée de la puissance d'**Israël**. La Bible le présente comme un roi sage ; on lui attribue le **«Cantique des cantiques»**. **La reine de Saba** serait venue le voir. Mais son goût du luxe ruina le peuple qui se révolta à sa mort.

LES MANUSCRITS DE LA MER MORTE
Dans une grotte près de **Qumrân**, sur la **mer Morte**, un berger découvrit, en 1946, des rouleaux de parchemin conservés dans des jarres. Ce sont les plus anciens témoignages connus de la Bible. Ils ont été écrits, entre 200 av. et 70 apr. J.-C., en hébreu et en araméen, la langue que parlait **Jésus-Christ**, par une communauté des **Esséniens** : **la secte de l'Alliance**.

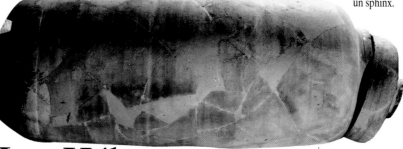

Le roi d'Israël **Achab** se fit faire **«une maison d'ivoire»**, par des artisans phéniciens, dans sa capitale de **Samarie** dont provient cet élément de meuble (ci-dessous) figurant un sphinx.

Les Hébreux

La Bible est le livre d'histoire du «peuple de Dieu». Il y a 4 000 ans, Abraham partit d'«Ur en Chaldée» (en Mésopotamie). Sa tribu émigra vers le «Pays de Canaan» (la Palestine). Les «fils d'Israël» poursuivirent même leur route jusqu'en Egypte. Opprimés par Pharaon, ils en sortirent sous la conduite de Moïse, vers 1250 avant Jésus-Christ. Ils conquirent peu à peu Canaan, la «Terre Promise», où ils fondèrent un royaume. A la mort du roi Salomon, en 931 avant Jésus-Christ, le royaume se divisa. Le Nord devint le royaume d'Israël, le Sud celui de Juda. Israël fut conquis par les Assyriens en 721, et, en 587, Nabuchodonosor, roi de Babylone, s'empara de Jérusalem et déporta le peuple de Juda à Babylone. Le roi perse Cyrus le Grand permit aux captifs de revenir à Jérusalem, dans cette province, appelée Judée par les Romains, où naîtra Jésus de Nazareth cinq siècles plus tard.

La Bible raconte l'histoire d'Israël, mais nous possédons aussi la version d'un de ses adversaires. La stèle de **Mesha**, roi de **Moab**, qui secoua le joug d'Israël. Il prit la ville de **Nébo**, tua 7 000 personnes, pilla le temple de Yahvé et en offrit le contenu à son dieu, **Kemosh**.

OBÉLISQUE NOIR de Nimrud (Assyrie). **Jehu**, roi d'Israël, se prosterne devant le roi d'Assyrie **Salmanasar III**, lors de l'offrande d'un tribut.

VUE DE LA JÉRUSALEM BIBLIQUE
Gravure sur cuivre du XVIIe siècle.

Cavaliers et forgerons

Cavalier équipé de son carquois, sur une tenture très bien conservée de Pazyrik (Altaï).

CRATERE DE VIX

A u premier âge du fer (VIIIᵉ-VIᵉ siècle avant Jésus-Christ) se développe en Europe ce que les archéologues nomment la «civilisation de Hallstatt» qui utilise les armes de fer et le cheval monté. La puissance de ses princes provient des voies commerciales qu'ils contrôlent au moyen de citadelles, centres et symboles de leur pouvoir. Les prestigieux objets retrouvés dans leurs tombes témoignent de l'intensité des échanges avec le monde méditerranéen.

UN CHEF-D'ŒUVRE GREC EN BOURGOGNE
L'énorme cratère de bronze trouvé à Vix (Côte-d'Or, France) dans la tombe d'une princesse pouvait servir à la préparation de 1 000 litres de vin. La statuette féminine pleine de dignité qui orne son couvercle fait songer à une prêtresse et nous rappelle que, chez les anciens Celtes, le rituel du vin était un privilège royal.

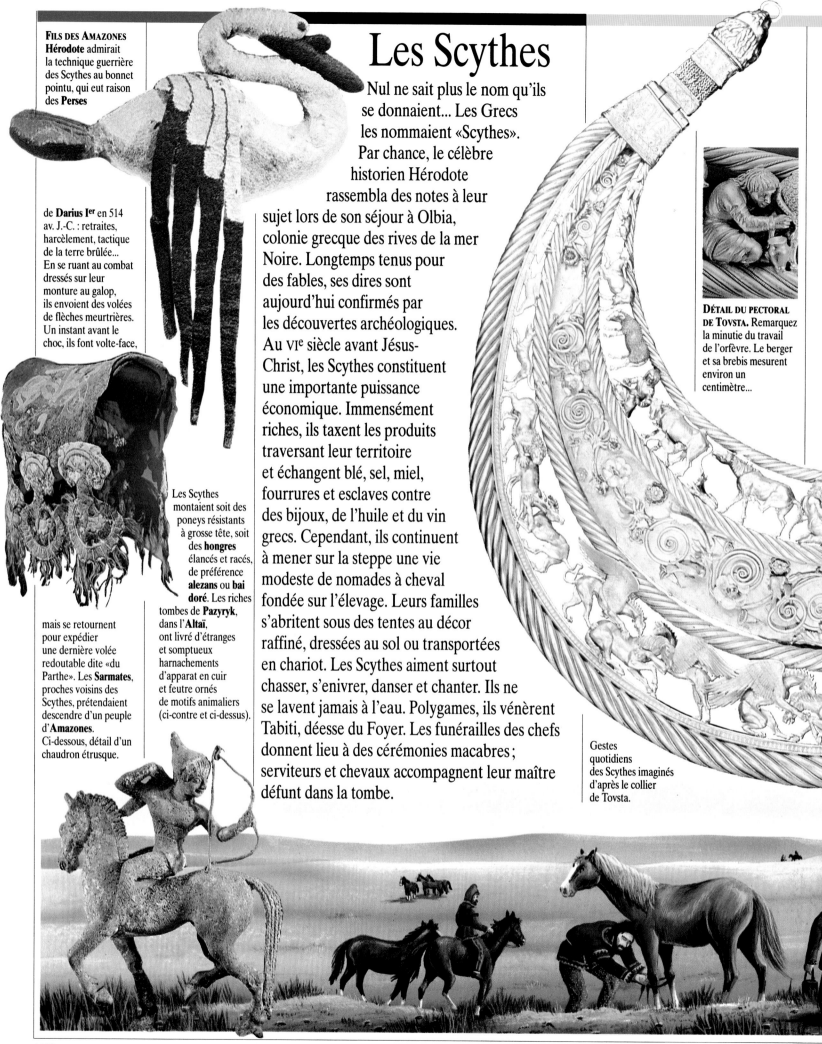

Les Scythes

FILS DES AMAZONES
Hérodote admirait la technique guerrière des Scythes au bonnet pointu, qui eut raison des **Perses** de **Darius Ier** en 514 av. J.-C. : retraites, harcèlement, tactique de la terre brûlée... En se ruant au combat dressés sur leur monture au galop, ils envoient des volées de flèches meurtrières. Un instant avant le choc, ils font volte-face, mais se retournent pour expédier une dernière volée redoutable dite «du Parthe». Les **Sarmates**, proches voisins des Scythes, prétendaient descendre d'un peuple d'**Amazones**. Ci-dessous, détail d'un chaudron étrusque.

Les Scythes montaient soit des poneys résistants à grosse tête, soit des **hongres** élancés et racés, de préférence **alezans** ou **bai doré**. Les riches tombes de **Pazyryk**, dans l'**Altaï**, ont livré d'étranges et somptueux harnachements d'apparat en cuir et feutre ornés de motifs animaliers (ci-contre et ci-dessus).

Nul ne sait plus le nom qu'ils se donnaient... Les Grecs les nommaient «Scythes». Par chance, le célèbre historien Hérodote rassembla des notes à leur sujet lors de son séjour à Olbia, colonie grecque des rives de la mer Noire. Longtemps tenus pour des fables, ses dires sont aujourd'hui confirmés par les découvertes archéologiques. Au VIe siècle avant Jésus-Christ, les Scythes constituent une importante puissance économique. Immensément riches, ils taxent les produits traversant leur territoire et échangent blé, sel, miel, fourrures et esclaves contre des bijoux, de l'huile et du vin grecs. Cependant, ils continuent à mener sur la steppe une vie modeste de nomades à cheval fondée sur l'élevage. Leurs familles s'abritent sous des tentes au décor raffiné, dressées au sol ou transportées en chariot. Les Scythes aiment surtout chasser, s'enivrer, danser et chanter. Ils ne se lavent jamais à l'eau. Polygames, ils vénèrent Tabiti, déesse du Foyer. Les funérailles des chefs donnent lieu à des cérémonies macabres ; serviteurs et chevaux accompagnent leur maître défunt dans la tombe.

DÉTAIL DU PECTORAL DE TOVSTA. Remarquez la minutie du travail de l'orfèvre. Le berger et sa brebis mesurent environ un centimètre...

Gestes quotidiens des Scythes imaginés d'après le collier de Tovsta.

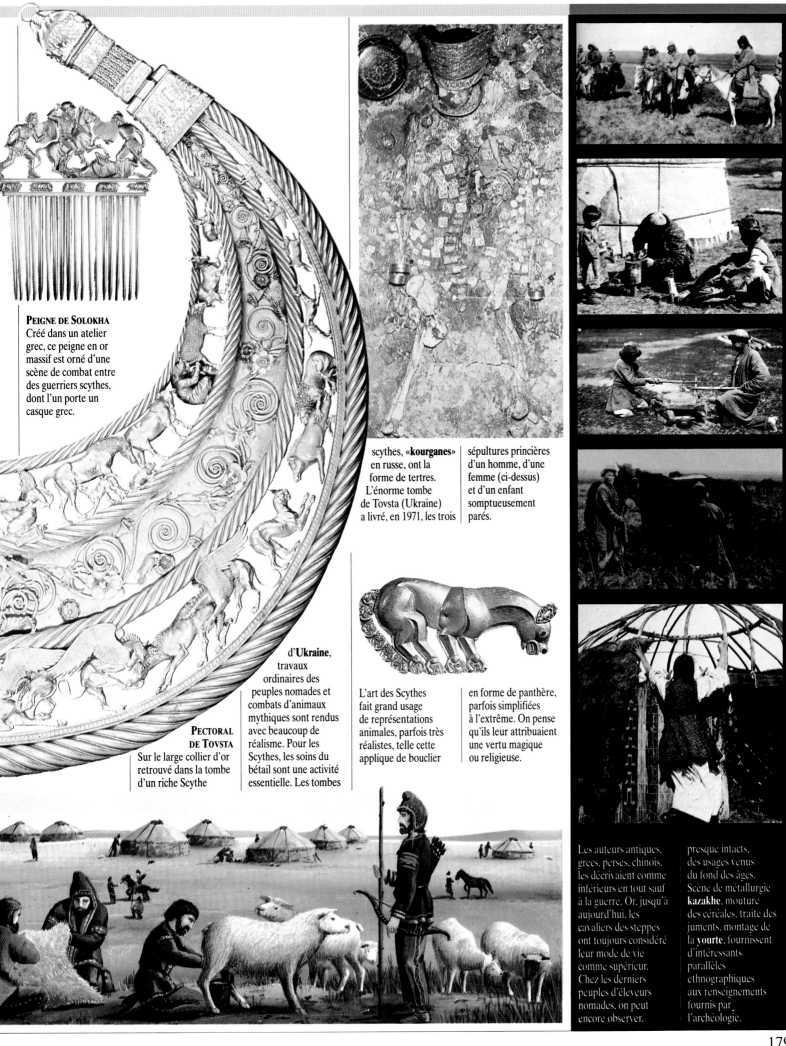

PEIGNE DE SOLOKHA
Créé dans un atelier grec, ce peigne en or massif est orné d'une scène de combat entre des guerriers scythes, dont l'un porte un casque grec.

scythes, «**kourganes**» en russe, ont la forme de tertres. L'énorme tombe de Tovsta (Ukraine) a livré, en 1971, les trois sépultures princières d'un homme, d'une femme (ci-dessus) et d'un enfant somptueusement parés.

PECTORAL DE TOVSTA
Sur le large collier d'or retrouvé dans la tombe d'un riche Scythe d'**Ukraine**, travaux ordinaires des peuples nomades et combats d'animaux mythiques sont rendus avec beaucoup de réalisme. Pour les Scythes, les soins du bétail sont une activité essentielle. Les tombes

L'art des Scythes fait grand usage de représentations animales, parfois très réalistes, telle cette applique de bouclier en forme de panthère, parfois simplifiées à l'extrême. On pense qu'ils leur attribuaient une vertu magique ou religieuse.

Les auteurs antiques, grecs, perses, chinois, les décrivaient comme inférieurs en tout sauf à la guerre. Or, jusqu'à aujourd'hui, les cavaliers des steppes ont toujours considéré leur mode de vie comme supérieur. Chez les derniers peuples d'éleveurs nomades, on peut encore observer, presque intacts, des usages venus du fond des âges. Scène de métallurgie **kazakhe**, mouture des céréales, traite des juments, montage de la **yourte**, fournissent d'intéressants parallèles ethnographiques aux renseignements fournis par l'archéologie.

179

Le défunt a été déposé sur une banquette de bronze à roulettes.

La fouille et l'étude scientifique du **tumulus,** entreprises depuis 1978, ont permis de recueillir de précieux renseignements sur le «prince celte de Hochdorf». On sait, par exemple, qu'il s'agissait d'un homme de stature imposante, souffrant d'**arthrite,** qui mourut assez âgé pour l'époque (environ 50 ans). Son lit funèbre comportait un matelas de fourrures et un oreiller d'herbes tressées.

Hochdorf

Non loin de la citadelle de Hohenasperg (Allemagne), un aristocrate celte est enseveli selon le rituel funéraire hallstattien, sous un tumulus de terre et de pierres. Nous sommes au VIᵉ siècle avant Jésus-Christ. Comme tout personnage de son rang, le défunt emporte avec lui un riche mobilier comprenant un char à quatre roues, de la vaisselle de bronze, des objets importés de Méditerranée et des parures en or.

Pour accompagner le prince dans l'au-delà, sa **dague** et ses souliers ont été recouverts de feuilles d'or ouvragées fabriquées sur place.

La chambre funéraire était tapissée d'étoffes agrémentées de galons aux couleurs vives, provenant d'**Étrurie**. Sur le bord d'un chaudron de bronze fabriqué en Grèce, un bronzier celte a remplacé un petit lion d'origine grecque par sa version «barbare»...

180

Les préparatifs de la cérémonie funèbre durèrent plusieurs jours et eurent lieu sur place.

A proximité de la tombe avaient été installés des ateliers chargés de confectionner tout ce qui pouvait permettre d'embellir le dernier costume du défunt : perles d'**ambre**, **fibules** et feuilles d'or...

Mais certains détails révèlent une précipitation peu protocolaire au moment des funérailles, comme le fait que le mort ait été chaussé à l'envers! Fort heureusement, aucune pièce ne fut oubliée du service à banquet complet, prévu pour neuf convives, présidé par le défunt.

La masse du tertre, représentée ici, ne fut en fait élevée que dans les années suivant l'inhumation.

181

Pour cacher les préparations de cette céramique grecque, un artisan celte y colla de fines feuilles d'or décorées.

L'orfèvrerie

Tous les auteurs antiques s'accordent à clamer la passion des «Barbares» pour les bijoux. Les découvertes archéologiques tendent à leur donner raison. Toutes les collections d'objets celtes, scythes ou ibères de l'âge du fer scintillent de métaux précieux. L'historien grec Polybe, parlant des Celtes envahisseurs de l'Italie au IVe siècle avant Jésus-Christ, expliquait ce goût de la façon suivante : «L'or [et les troupeaux] étaient les seules choses qu'ils pouvaient facilement emmener et transférer partout à leur gré dans leurs déplacements.» Les Scythes des bords de la mer Noire se faisaient confectionner, dans les ateliers des colonies grecques installées là, tout un arsenal d'ustensiles précieux, coupes, flacons, amphores, appliques de vêtements, peignes et objets de parure. Les orfèvres grecs ciselaient leurs œuvres de scènes et de motifs empruntés à la vie quotidienne et aux traditions de leurs clients. Le commerce des métaux précieux enrichissait d'ailleurs les Scythes eux-mêmes puisqu'ils contrôlaient le trafic en provenance du Caucase, des monts Oural et de l'Altaï. A l'autre bout de l'Europe, la péninsule Ibérique a livré elle aussi de riches trésors datant de l'âge du fer, tel celui de La Aliseda, près de Gadès (aujourd'hui Cadix). Ses habitants, les Ibères, sont le plus ancien peuple mentionné en Europe occidentale. Ils occupèrent l'Espagne, le midi de la Gaule et le nord de l'Italie. Leur nation se composait de tribus guerrières liées à leurs chefs jusqu'à la mort. Comme tous les peuples de Méditerranée occidentale, ils furent très tôt (dès le néolithique) influencés par les grandes civilisations de l'Est.

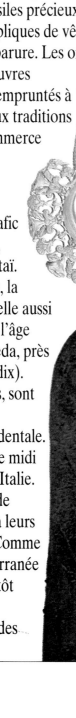

Les parures **ibériques** du trésor de **La Aliseda** (boucles d'oreilles, colliers, bracelets, ceinture) sont des modèles créés en Espagne par des orfèvres **phéniciens**.

LA DAME D'ELCHE
Chef-d'œuvre de la sculpture ibérique d'influence grecque, la «Dame d'Elche» présente un visage raffiné et très classique qui contraste avec sa riche coiffure et ses bijoux exubérants.

OBJETS PRÉCIEUX
Ci-dessous, **fibule** (épingle) et bague en argent ornées dans le style celtique de **La Tène**.

L'argent, l'**électrum** (alliage naturel d'or et d'argent) sont également employés pour la confection d'objets précieux. La couleur est donnée par des incrustations de matériaux multicolores comme le verre, qui sert également à fabriquer des perles de colliers et des bracelets. Le petit chien de verre bleu orné de filets blancs et jaunes trouvé à **Wallertheim** (Allemagne) est unique en son genre. L'emploi de l'or sert aussi à renforcer la puissance des offrandes votives, telles ces barques symbolisant le voyage des âmes dans l'au-delà.

À partir du VIIIᵉ siècle avant Jésus-Christ, Gadès, port de commerce du légendaire royaume de Tartessos, passe sous influence phénicienne. Puis les apports des colonisations grecque et punique (Carthage) feront naître, à partir du Vᵉ siècle avant Jésus-Christ, la civilisation ibérique proprement dite.

L'exploitation minière joue un grand rôle dans l'économie ibérique dès l'âge du bronze. Riche en mines d'or, d'argent, de fer et de cuivre, la péninsule apparaît comme un «eldorado» aux yeux des Grecs et des Puniques qui rivalisent pour s'en assurer l'hégémonie. La victoire économique reviendra finalement aux Carthaginois... Pour l'orfèvrerie ibérique, l'établissement des comptoirs phéniciens au VIIIᵉ siècle avant Jésus-Christ agit comme une véritable révolution. Les parures massives de l'âge du bronze sont remplacées par des bijoux baroques composés de feuilles, de fils et de grains d'or soudés ensemble. En Europe continentale, après une raréfaction des objets précieux aux tout débuts de l'âge du fer, l'orfèvrerie reparaît dans les tombes princières des Celtes du VIᵉ siècle avant Jésus-Christ. Chez les Celtes, hommes et femmes, la parure est le reflet du rang social. Colliers (souvent appelés torques), bracelets, ceintures, boucles d'oreilles (assez rares cependant), fibules (épingles à ressort) et pendeloques sont le plus souvent fabriqués en bronze, qui, neuf, brille comme de l'or, mais les plus riches personnages font dorer leur parure funéraire. Les ornements sont obtenus généralement à partir de feuilles d'or martelées, embouties, rétreintes, repoussées ou estampées. Le corail et, plus tard, l'émail seront aussi utilisés en incrustation.

Ci-dessus, casque gaulois d'apparat en fer plaqué d'or et incrusté de corail trouvé à Amfreville-sous-les-Monts (Eure). Ci-dessous, agrafe de ceinture de **Croatie**.

L'ÉMAIL
Les Celtes de la fin de la période de La Tène faisaient grand usage d'émail rouge pour la décoration des objets précieux. L'émail est une substance vitreuse composée de sable, de potasse et de soude fondus et colorés par des oxydes métalliques. Les divers ustensiles des émailleurs antiques nous sont connus par les fouilles.

Les Celtes en Italie

Sur la coupe trouvée dans une tombe gauloise d'Italie, on lit (de droite à gauche) un nom de femme étrusque : «Petnei».

Vers la fin du Vᵉ siècle avant Jésus-Christ, plusieurs peuples celtes décident, après de longues décennies de voisinage et d'échanges pacifiques, de marcher sur les territoires de l'Italie étrusque. Du même coup, ils entrent dans l'Histoire.

L'historien grec Polybe, au IIᵉ siècle avant Jésus-Christ, pensait qu'ils avaient été attirés par la beauté du pays. Pour ses successeurs romains, Tite-Live et Pline l'Ancien, c'est le bouquet des vins italiens qui aurait séduit les «Barbares». Encore plus récemment, les spécialistes ont invoqué des migrations provoquées par la surpopulation consécutive à une longue période de paix... Toujours est-il que, sous la conduite de chefs entreprenants, Bituriges, Cénomans, Boïens et Lingons s'installent successivement au nord, puis au sud de la plaine du Pô. Les derniers arrivés, un groupe de Sénons venus probablement de l'actuelle Champagne, iront même, derrière leur chef Brennus, jusqu'à Rome.

De la présence des Sénons à Rome, trois épisodes fameux sont entrés dans la légende : le massacre des vieux sénateurs restés dans la ville basse, les «oies du Capitole» qui avertirent les Romains d'une attaque nocturne des Gaulois et le «malheur aux vaincus» de Brennus ajoutant l'équivalent en or du poids de son épée lors du paiement de la rançon romaine. Finalement, Brennus et ses hommes décidèrent de s'installer au nord de l'Italie, sur les bords de l'Adriatique : les habitants de ces régions à dominante étrusque n'étaient pas aussi sourcilleux que les Romains en matière d'immigration gauloise.

Les Gaulois entretinrent avec les peuples d'Italie du Nord des rapports plutôt pacifiques, malgré quelques batailles. La scène illustrée ci-dessous représente une femme étrusque accueillant son époux gaulois au retour de ses obligations journalières. Elle a été imaginée d'après le contenu d'une tombe trouvée sur le site de **Monte Bibele**, situé au sud-est de Bologne. Là se dressait une ville étrusco-celtique avec sa **nécropole**. Dans la tombe d'un guerrier **boïen** équipé d'un très beau casque, on trouva une coupe étrusque. Dans son vernis noir est gravé un nom de dame d'origine étrusque, elle aussi. Peut-être l'épouse du chef celte...

le casque pointu trouvé dans une tombe à char de la Marne. Un rapace survole un casque roumain. Les Bretons de la Tamise, eux, arboraient des cornes imposantes.

LE TEMPLE DE CIVITALBA fut élevé au IIᵉ siècle av. J.-C. par les Romains pour commémorer la bataille de **Sentinum** (295 av. J.-C.) au cours de laquelle ils avaient brillamment écrasé une coalition composée de Gaulois, de **Sénons**, mais également d'Étrusques et d'Italiques. Une frise de terre cuite décorant le temple relate le thème bien connu des Gaulois pillant un sanctuaire, interrompus par l'intervention de dieux, de guerriers ou de héros.

CASQUE DE MONTE BIBELE (ITALIE) : Photo et dessin.

LE BRIS DES ARMES
Au Monte Bibele, comme en d'autres endroits du monde celtique, casques et armes ont subi un bris rituel (on les a pliés ou défoncés) avant leur dépôt dans la tombe.

LES CASQUES
Des trouvailles de casques celtes d'époques diverses ponctuent tout le territoire européen. Parmi les plus anciens (Vᵉ siècle av. J.-C.),

Les fouilles archéologiques témoignent de la profonde insertion des Celtes dans le substrat des populations italiennes. Il semble qu'ils s'installèrent, en fait, dans un pays qui ne leur était pas totalement inconnu et qui les accueillit avec une sorte de complicité. Lorsque les Boïens occupèrent Felsina (Bologne), ils lui laissèrent son nom étrusque et la ville continua de vivre. Nombreux sont les guerriers gaulois, chefs ou simples soldats, inhumés dans la plaine padane. Les archéologues les distinguent à leurs armes. La tradition voulait que les hommes ayant porté les armes soient ensevelis avec elles : longue épée de fer avec son fourreau et son ceinturon, pointe de lance, parfois bouclier et casque, la panoplie complète étant réservée aux chefs. Les femmes portent des bijoux de bronze (torques, bracelets, fibules, anneaux de cheville) dont les modes diverses nous renseignent sur leur rang, leurs voyages et leur pays d'origine. Les bijoux et les plus belles armes sont ornés dans un style tout nouveau. Mis au contact direct de l'influence méditerranéenne, l'art celtique de cette époque, dite de «La Tène», se dégage avec virtuosité du géométrisme pour se lancer dans des compositions rythmées, peuplées de motifs ambigus, mi-végétaux, mi-animaux. Ces décors, tout en courbes, constituent l'un des modes d'expression les plus accomplis et les plus originaux de la culture celtique. Certains motifs, comme le «triscèle» (triskell), sont encore utilisés de nos jours. Le IVᵉ siècle avant Jésus-Christ, période suivant l'«invasion» gauloise, est d'ailleurs marqué, dans toute l'Europe, par des innovations variées dues à la rencontre en Italie des Celtes, des Italiques, des Étrusques et des Grecs.

L'EXPANSION CELTIQUE
L'invasion de l'Italie au début du IVᵉ siècle av. J.-C. n'est que la première étape historiquement reconnue d'un vaste mouvement d'expansion de la culture celte. A cette époque, la civilisation de La Tène a remplacé depuis quelques générations celle des princes de **Hallstatt**. Sortant du berceau de leurs ancêtres, les **Celtes laténiens** se répandent tout d'abord vers l'est, jusqu'en Grèce et en Asie Mineure (vers 280 av. J.-C.).

qui en conserve encore de nos jours les témoignages. «Cette plaine était autrefois habitée par les Étrusques... Les Gaulois, qui les fréquentaient à cause du voisinage et avaient guigné la beauté du pays, les attaquèrent par surprise, sous un mince prétexte, avec une grande armée, les chassèrent de la région du Pô et occupèrent eux-mêmes la plaine.» (Polybe, *Histoires II*, trad. P. Pédech.)

«... Puis les **Boïens** et les **Lingons**, traversant les Alpes et trouvant

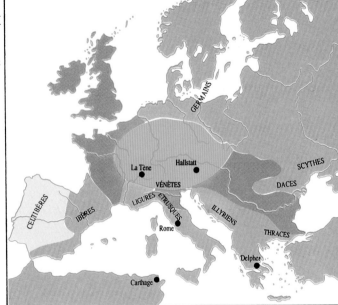

Le pillage du temple d'Apollon à Delphes est passé dans les annales de l'Histoire ainsi que l'éphémère

tout le pays occupé entre le Pô et les Alpes, passent le Pô en radeau et chassent les Étrusques et même

royaume **anatolien** des **Galates**. Dans bien des régions, Celtes et Méditerranéens se trouvèrent alors en contact direct. Le mercenariat joua également un rôle dans cette diffusion de la culture laténienne. Plus tard, les Celtes s'étendirent vers l'ouest de l'Europe

les **Ombriens** de leur territoire, sans toutefois dépasser l'Apennin. Enfin, les **Sénons**, arrivant les derniers, occupèrent le pays depuis la rivière Utens [actuelle Montone?] jusqu'à l'Aesis [Esino]. Ce sont eux qui vinrent à Clusium [Chiusi] et de là à Rome.» (Tite-Live)

Diplomatie

En 335 avant Jésus-Christ, lors de sa campagne sur le Danube, Alexandre remporte de brillants succès sur les «Barbares» qui menaçaient la frontière septentrionale de son royaume. Dans son quartier général, le jeune roi de Macédoine reçoit Syrmos, chef des Triballes vaincus, ainsi que les émissaires de plusieurs peuples danubiens venus implorer la paix. La renommée de ses exploits est telle que même les Celtes de l'Adriatique jugent à propos de lui déléguer des ambassadeurs chargés d'entrer dans ses bonnes grâces. Leur entrevue, restée célèbre, nous a été transmise par les auteurs antiques (Arrien, Strabon): «Alexandre demanda aux Celtes ce qu'ils craignaient le plus au monde, persuadé que son nom s'étendait dans leurs contrées et au-delà, et qu'il était pour eux l'objet le plus redoutable. Il fut déçu dans cette pensée. En effet, ils répondirent qu'ils ne craignaient que la chute du ciel!» Sans laisser paraître son désappointement, Alexandre, diplomate, traita les envoyés des Celtes avec sa générosité coutumière, leur offrit un banquet, les assura de son amitié et les renvoya couverts de présents. Ce qui ne l'empêcha pas, dès qu'ils eurent le dos tourné, de venger quelque peu son amour-propre malmené en les traitant de «fanfarons».

Galate vaincu se suicidant avec son épouse.

C ette anecdote nous parvient comme l'écho des relations entre le monde méditerranéen et l'Europe continentale pendant le second âge du fer. Echanges diplomatiques et commerciaux, invasions, mercenariat allaient bon train sur les franges des diverses civilisations. Les Galates d'Asie Mineure servirent même de modèles à la statuaire hellénistique, fondement de l'imagerie traditionnelle des Gaulois.

La légende d'Alexandre était encore très vivace au Moyen Age. Ces miniatures du XVᵉ siècle illustrent la campagne d'Alexandre sur le Danube et sa rencontre avec les «Barbares».

Alexandre a tout juste vingt ans lorsqu'il succède à son père, Philippe, assassiné en 336 av. J.-C. Avant d'entreprendre l'expédition qui le mènera jusqu'en Inde, il s'applique à imposer le respect à ses voisins grecs et «barbares», enhardis par le changement de souverain.

La traversée des Alpes

« ... La troupe avançait en formation de combat. Les éléphants et les cavaliers ouvraient la marche. Ensuite venait Hannibal lui-même [...]. Les éléphants retardaient considérablement la marche sur ces pentes étroites et raides, mais, partout où ils marchaient, on était en sécurité derrière eux, les ennemis redoutant d'approcher ces animaux qui leur étaient inconnus [...]. Le neuvième jour, on atteignit le sommet des Alpes [...].

Alors, Hannibal commanda à ses troupes de s'arrêter et, s'avançant au-devant des enseignes sur un promontoire d'où l'on voyait aussi loin que le regard pouvait porter, il montra aux soldats l'Italie et la campagne padane au pied des Alpes.» (D'après Tite-Live.)

Le Rhône est franchi grâce à des embarcations construites avec l'aide des Gaulois alliés (en haut). Le sud-est de la Gaule sera romanisé dès 121 av. J.-C. Les peuples des Alpes résisteront jusqu'à l'époque d'Auguste, comme en témoigne le «trophée des Alpes» de La Turbie.

Inscription gallo-grecque, amphore et monnaies **massaliotes**.

Marseille était alors une colonie grecque depuis le ve siècle av. J.-C.

L'Espagne conquise en 218 av. J.-C., Hannibal franchit les Pyrénées et

entre en Gaule. Il dépêche des ambassadeurs pour rassurer les roitelets gaulois sur ses intentions. Gagnés par les paroles et les présents d'Hannibal, les Gaulois laissent les **Carthaginois** traverser leur territoire. Sur les rives du Rhône, ils se heurtent à la nation des **Volsques**. «Les Gaulois accourent sur la rive, poussant des hurlements, chantant des chants de leur pays, agitant leurs boucliers au-dessus de leurs têtes, brandissant des javelots.» (Tite-Live)

dont les Celtes se rendent coupables pour plaire à leurs dieux. Pline l'Ancien, pour sa part, nous rapporte le rite très champêtre de

Les **druides** (ci-dessous, Panoramix) formaient, avec les cavaliers, les deux **castes** les plus importantes de la société celtique du temps de César. Leur savoir était immense. Ils étaient à la fois prêtres, juges, physiciens, théologiens, astronomes et enseignants. Ils transmettaient leur savoir à leurs seuls élèves, peut-être sous la forme de poèmes à apprendre par cœur. On dit que leur doctrine professait la **métempsycose** (une même âme peut animer successivement plusieurs corps). Ils n'utilisaient l'alphabet (grec) que pour faire leurs comptes. César considérait les Gaulois comme un peuple très religieux. Mais, dans ses *Commentaires de la guerre des Gaules,* il insiste perfidement sur les sacrifices humains

la cueillette du gui sur le **chêne rouvre**, le sixième jour de la lune. C'est avec beaucoup de fantaisie que l'illustration ci-contre dépeint cette

cérémonie. Enfin, dans l'art celtique, apparaît souvent une tête, coiffée d'un motif dit «en feuilles de gui».

A droite, un temple celte reconstitué d'après la fouille d'un sanctuaire (Grande-Bretagne). Comme pour les habitations, on utilisait le bois, le **pisé** et le chaume.

Pour **Jules César**, les Gaulois honorent à peu près les mêmes dieux que les Romains. En fait, il se contente d'affubler de noms latins les différentes divinités celtiques suivant leur fonction : **Mercure**, **Apollon**, **Mars**, **Jupiter** et **Minerve** désignent respectivement les dieux gaulois des Voyages et du Commerce, de la Santé, de la Guerre, du Ciel, des Arts et des Techniques... **Lucain**, lui, dans *la Pharsale*, a immortalisé les noms terribles d'**Esus**, de **Teutatès** (Toutatis) ou de **Taranis**. La statuaire gallo-romaine nous a laissé de nombreuses figurations de pierre ou de métal, représentant sous une forme plus ou moins romanisée, des personnages énigmatiques. **Sucellus**, dieu au maillet, **Epona**, la cavalière, **Cernunnos** aux ramures de cerf, triades de nymphes ou de matrones, **Rudianus le Rouge** et **Segomo le Victorieux** sont l'ultime expression des croyances celtes.

La religion celte

Les croyances et les rites des anciens Celtes nous sont mal connus car ces peuples répugnaient à mettre leurs traditions par écrit. Leurs doctrines et leur savoir se transmettaient oralement par l'intermédiaire des druides et des bardes. Nos seules sources de renseignements sont, d'une part, les témoignages des auteurs anciens, en particulier celui de Jules César, et, d'autre part, le hasard des découvertes archéologiques. A travers la littérature antique, la vie spirituelle des Celtes apparaît déformée par le mépris des «civilisés» face aux «Barbares». Les trouvailles archéologiques, elles, pour être d'authentiques témoignages, n'en constituent pas moins une sorte de «puzzle» dont l'interprétation est loin d'être aisée... Les contes, recueillis dans les pays de tradition celtique et étudiés par les spécialistes, fournissent également une documentation appréciable. Les arbres, les eaux et les pierres semblent avoir fait l'objet d'une vénération particulière.

ROQUEPERTUSE
Quelles étranges cérémonies pouvaient bien avoir lieu dans le sanctuaire **salien** de Roquepertuse (midi de la Gaule)? La fouille du site a mis au jour un portique à l'aspect peu engageant (ci-dessous). Des crânes humains avaient été enchâssés dans ses piliers.

Le sanctuaire, qui se dressait à flanc de colline, fut détruit par les Romains.

A **Ribemont-sur-Ancre**, en Picardie, fut récemment découverte une bizarre construction de l'époque gauloise. Il s'agit d'un petit édifice entièrement construit d'os humains empilés! Tout autour gisaient des armes : épées, éléments de boucliers et de ceinturons, fers de lances. Plus étrange encore, l'ossuaire semble avoir été détruit autrefois, volontairement et soigneusement, comme pour étaler le monument, le recouvrir de terre et le dissimuler...

Dans les lacs sacrés, ouverture vers l'au-delà, les anciens Celtes jetaient, en offrande aux dieux, armes et bijoux de métal précieux.

LES MARAIS DE GUNDESTRUP (Danemark) renfermaient depuis des siècles un grand bassin d'argent décoré qui fut retrouvé en 1891. Aussitôt, les spécialistes identifièrent son origine celtique. Il fut certainement apporté d'Europe centrale comme butin de guerre. Là, les anciens habitants du **Jutland** le déposèrent en offrande dans le marécage. Les scènes figurées sur son pourtour ont été comparées à des thèmes de la mythologie irlandaise.

LES GAULOIS SE LIGUENT CONTRE CÉSAR
À l'appel de Vercingétorix, les chefs des tribus gauloises font le serment, sur leurs enseignes, de repousser l'invasion romaine ou de mourir.

La céramique, souvent peinte, constitue une bonne part du produit des fouilles.
Les trouvailles archéologiques au Mont Beuvray ne datent d'ailleurs pas d'hier, puisque la plus ancienne découverte dont nous ayons gardé une mention écrite eut lieu en 1696, à l'occasion de la chute d'un très vieil arbre... Au XVIIIᵉ siècle, les paysans de la région connaissaient bien l'existence des fontaines et des puits de la ville antique qu'ils comblaient pour éviter les accidents de bétail et où ils récoltaient parfois des monnaies

Sur le mont **Beuvray**, la **pierre de la Wiwre** est le dernier moignon d'une roche débitée pour la construction du site. On a voulu y voir la tribune d'où **Vercingétorix**, élu chef des armées gauloises, prêta serment devant (presque) tous les peuples de Gaule lors de l'«assemblée

et de petits objets de métaux précieux. Mais, les premières fouilles concertées ne commencèrent qu'en 1865. Des objets recueillis à Bibracte sont conservés à Saint-Germain-en-Laye, Dijon, Autun (France) et le site comporte désormais son propre musée.

de Bibracte».
Bibracte, **oppidum** gaulois sur le mont Beuvray est actuellement un très important chantier de fouilles. Prévues sur dix ans, elles exhumeront des vestiges qui couvrent une période allant du néolithique à Vercingétorix. La ville est protégée par une enceinte de poutres et de pierres très efficace appelée *Murus Gallicus*. L'étude des monnaies recueillies nous a déjà appris que les **Éduens** traitaient avec Rome et Marseille.

VERCINGÉTORIX, en celte, signifie «le grand chef des combattants». Dans «La Guerre des Gaules», César le présente comme un jeune noble arverne sincèrement épris de liberté, même si ses méthodes pour attiser le patriotisme des Gaulois et les unir face à l'adversaire sont loin d'être tendres...

Bibracte

Au IIe siècle avant Jésus-Christ, se développe en Europe la civilisation celtique des *oppida*, ou marchés fortifiés. Protégé par ses remparts, l'oppidum est une véritable ville avec ses quartiers laborieux ou résidentiels, et ses sanctuaires. Bibracte, l'un des plus vastes, fut, jusqu'à l'époque d'Auguste, la capitale prospère du puissant peuple des Éduens.

Quelques outils celtiques retrouvés en fouilles.

Les outils employés par les Celtes n'ont guère changé jusqu'à l'ère industrielle. Limes, marteaux et pinces servaient aux travaux de tonnellerie et de charronnerie. Bronziers, forgerons, tonneliers, émailleurs, ciseleurs, verriers, tailleurs d'os, potiers, sabotiers du quartier artisanal fabriquent des objets de série.

LA TONNELLERIE
La fabrication d'un tonneau est une opération complexe comportant plusieurs étapes, depuis la taille des douves de bois rigoureusement identiques et leur assemblage à chaud, au millimètre près, à l'aide de cercles en fer, jusqu'à l'ajustage des deux fonds plats encastrés de force aux extrémités

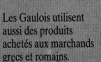

Les Gaulois utilisent aussi des produits achetés aux marchands grecs et romains.

Les fermes gauloises ont pour ossature une charpente de bois

Tasse en bois et métal.

reposant sur des poteaux enfoncés dans le sol. Les murs et le toit sont ensuite habillés de **clayonnages**, de pisé et de chaume.

Les céréales, le blé en particulier, tiennent une grande place dans l'agriculture gauloise. Le paysan laboure ses champs avec une araire. La récolte est coupée à l'aide de faux et de faucilles.

La plupart des outils agricoles traditionnels sont déjà utilisés : bêche, houe, hache, binette, fourche... Dans les plaines du Nord, chez les **Trévires**, on inventera même une moissonneuse, le *vallus*, décrite par Pline l'Ancien et dont nous connaissons plusieurs représentations sculptées.

La *falx gallica* (faux gauloise) étonnait les Romains et fut peut-être une invention celte.

La récolte est stockée dans des greniers sur pilotis ou des silos camouflés

dans la terre et manipulée dans des paniers d'osier. Les Celtes pratiquent aussi l'élevage d'animaux domestiques : le porc, qui ressemble à notre sanglier, le **mouton Soay**, les bœufs, les chevaux et parfois les chiens sont utilisés pour leur viande et divers autres services.

L'analyse des pollens fossiles retrouvés lors des fouilles permet de reconstituer la flore protohistorique.

L'Europe de l'âge du fer, c'est aussi la campagne. Les Celtes sont d'ingénieux paysans qui savent tirer le meilleur parti de leur terre naturellement fertile. Les céréales gauloises seront exportées jusqu'en Italie. Dans des fermes expérimentales construites par leurs soins, des archéologues du xx⁰ siècle s'efforcent de restituer le mode de vie des paysans de la protohistoire.

FERME EXPÉRIMENTALE DE BUTSER (Grande-Bretagne).

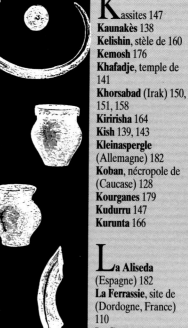

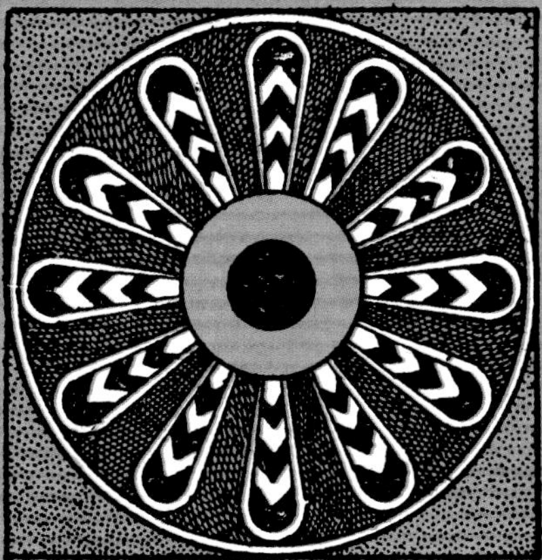

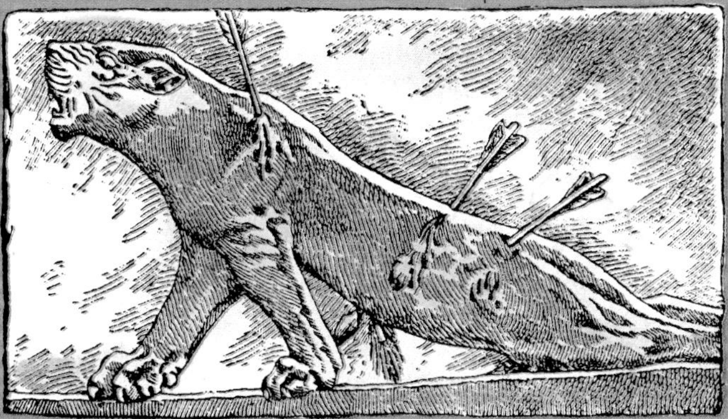

CRÉDITS PHOTOGRAPHIQUES

p. 97 : J. Vertut, Issy-les-Moulineaux; col. 1, 2 : Gallimard, Paris; col. 7 : Boyer-Viollet, Paris; **p. 98 :** col. 2 : Gallimard, Paris; **p. 98-99 :** R.M.N., Paris; **p. 99 :** J. Vertut, Issy-les-Moulineaux; **p. 100 :** col. 1-5 : Gallimard, Paris; R.M.N., Paris; col. 2-5 : J. Oster/ musée de l'Homme, Paris; col. 5-7 : B. & C. Alexander, Sturminster Newton; **p. 101 :** col.2 :

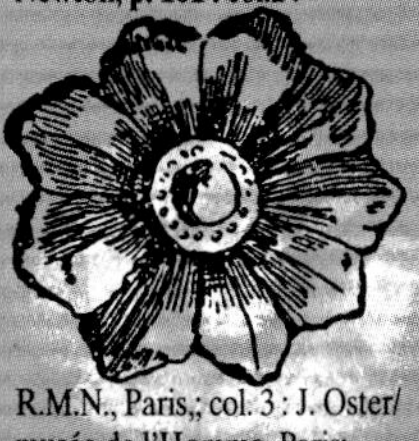

R.M.N., Paris,; col. 3 : J. Oster/ musée de l'Homme, Paris; Gallimard, Paris; col. 6 : Gallimard, Paris; col. 6,7 : M. Delaplanche/musée de l'Homme, Paris; J. Vertut, Issy-les-Moulineaux; **p. 102 :** col. 4, 5 : D. Ponsard/ musée de l'Homme, Paris; **p. 103 :** col. 1 : Studio des Grands-Augustins, Paris; col. 2 : C. Michel/ Explorer, Paris; col. 1, 2 : J. Oster/musée de l'Homme, Paris; col. 6, 7 : DITE/IPS, Paris; **p. 104 :** col. 1 : Leroi-Ghouran/ archives Larousse, Paris; H. Cohen/archives Larousse, Paris; musée de l'Homme, Paris; **p. 106 :** col. 1, 2 : R.M.N., Paris; A. Marshack/ musée de l'Homme, Paris; J. Vertut, Issy-les-Moulineaux; col. 2, 3 : Gallimard, Paris; col. 3- 5 : R.M.N., Paris; J. Vertut, Issy-les-Moulineaux; col. 5 : R.M.N., Paris; col. 6, 7 : R.M.N., Paris; col.7 : R.M.N., Paris; J. Oster/ musée de l'Homme, Paris; **p. 107 :** col. 1 : J. Oster/musée de l'Homme, Paris; col. 1-4 : J. Oster/ musée de l'Homme, Paris; col. 4-6 : J. Vertut, Issy-les-Moulineaux; **p. 108 :** col. 1, 2 : M. Larivière/ Archives Laval; R.M.N., Paris; **p. 109 :** col. 1-6 : J. Vertut, Issy-les-Moulineaux; col. 7 : J.-P. Paireault/Gamma, Paris; **p. 110 :** col. 1,2 : R.M.N., Paris; musée de l'Homme, Paris; C. Lenars/ Explorer, Paris; musée de l'Homme, Paris; col. 3, 5 : M. Delaplanche/ musée de l'Homme, Paris; **p. 110-111 :** R.M.N., Paris; **p. 111 :** col. 6 : Gallimard, Paris; col. 7 : D. Ponsard/ musée de l'Homme, Paris; Bader/musée de l'Homme, Paris; **p. 112 :** col. 1: D.R.; col. 1, 2 : R.M.N., Paris; col. 2 : A. Marshack/musée de l'Homme, Paris; col. 3- 5 : R.M.N., Paris; col. 4 : R.M.N., Paris; col. 6 : J. Vertut, Issy-les-Moulineaux; col. 7 : Gallimard, Paris; col. 1-7 : D.R.**p. 113 :** col. 1-7 : A. Miles/Bridgeman Art Library, Londres; col. 1, 2 : B.N., Paris; col. 5 : R.M.N., Paris; col. 6 : musée de l'Homme, Paris; **p. 114 :** col. 1 : M. Assémat/ R.M.N., Paris; col. 4 : Musée national suisse, Zurich, D.R.; col. 6 : Gallimard, Paris; M. Assémat/R.M.N., Paris; col. 7 : Gallimard, Paris; P. Pitrou/ Gallimard, Paris; **p.115 :** col. 1-3 : R.M.N., Paris; col. 2 : P. Pitrou, Saint-Germain-en-Laye; col. 3 : P. Pitrou/ Gallimard, Paris; col. 4 : Musée national suisse, Zurich; col. 7 : M. Assémat/ R.M.N., Paris; P. Pitrou /Gallimard, Paris; **p. 116 :** col. 1, 2 : M. Illet/URA 12/C.N.R.S., Paris; b : musée de Fribourg, Suisse; col. 6 : Coudard/URA 12/ C.N.R.S., Paris; **p. 117 :** col. 1: H. Massurel, musée archéologique Lons-le-Saulnier; col. 6, 7 : R.M.N., Paris; **p. 118 :** col. 1 : C. Hansmann, Munich; Dagli-Orti, Paris; col. 2-6 : Gallimard, Paris; col. 5-7 : J. Le Doaré, Châteaulin; Roger-Viollet, Paris; J. Le Doaré, Châteaulin; col. 6, 7 : Gallimard, Paris; **p.118-119 :** J. Le Doaré, Chateaulin; **p. 119 :** col. 1-3 : J.L. Charmet, Paris; B.N., Paris; Gallimard, Paris; col. 5-7 : Gallimard, Paris; **p. 121 :** col. 6 : Gallimard, Paris; col. 7 : R.M.N., Paris; coll. C. Louboutin, Paris; col. 6, 7 : Plisson/Explorer, Paris; Gallimard, Paris; **p. 122 :** col. 1, 2 : P. Pitrou/Gallimard, Paris; G. Blot/R.M.N., Paris; R.M.N., Paris; col. 3 : Roger-Viollet, Paris; col. 4-6 : P. Pitrou/ Gallimard, Paris; **p. 122-123 :** h : P. Pitrou/ Gallimard, Paris; b : R.M.N., Paris; **p. 123 :** col. 1 : R.M.N., Paris; col. 2, 3, 5-7 : P. Pitrou/ Gallimard, Paris; col. 2-7 : Gallimard, Paris; **p. 124 :** col. 1 : Gallimard, Paris; col. 2, 3 : R.M.N., Paris; col. 1-3 : P. Pitrou/ Gallimard, Paris; Gallimard, Paris; **p. 125 :** col. 1 : P. Pitrou/ Gallimard, Paris; **p. 126 :** col. 1 : R.M.N., Paris; A. Le Toquin/Explorer, Paris; col. 2, 3 : A. Le Toquin/Explorer, Paris; Roger-Viollet, Paris; col. 2-6 : Nationalmuseet, Copenhague; col. 7 : R.M.N., Paris; D. R.; R.M.N., Paris; **p. 127 :** col. 1, 2 : R.M.N., Paris; b : British Museum, Londres; col. 6, 7 : C. Mordant, Besançon; Museo Arqueologico Nacional, Madrid; **p. 128 :** col. 1, 2 : H. Stierlin/Artephot, Paris; Lauros/Giraudon, Paris; Petrequin/CRAVA, Gray; col. 3, 4 : R.M.N., Paris; col. 5 : Nationalmuseet, Copenhague; col. 6 : R.M.N., Paris; col. 7 : M. Assémat/ R.M.N., Paris; col. 6, 7 : Dagli-Orti, Paris; S. Fiore/ Explorer, Paris; : col. 1-7 : Musée national suisse, Zurich. **p. 129 :** col. 1-7 : R.M.N., Paris; col.1, 2 : Artephot, Paris; col. 6 : British Museum, Londres; **p. 130 :** col. 1-3 : James Mellart; Dagli-Orti, Paris; col. 5-7 : Scala, Florence; **p. 131 :** col. 1-3 : Israel Museum, Jérusalem; col. 4, 5 :J. Mazenod, *l'Art antique du Proche-Orient*, Éd. Citadelles, Paris; D.R.; D.R.; col. 6 : musée de Bagdad; R.M.N., Paris; J. Mazenod, *l'Art antique du Proche-Orient*, Éd. Citadelles, Paris; col. 6, 7 : J. Mazenod, *l'Art antique du Proche-Orient*, Éd. Citadelles, Paris; col. 7 : D. Bouquignaud/TOP, Paris; **p. 132 :** col. 1 : Gallimard/U.D.F, Paris; Louvre, Paris ; R.M.N., Paris; col. 2-5 : H. Leuzen/ Leipzig; col. 6-8 : Dagli-Orti, Paris; col. 4-7 : Dagli-Orti, Paris; **p. 133 :** col. 4, 5 : D.R.; col. 3-5 : British Museum, Londres; col. 6,7 : Dagli-Orti, Paris; col. 6 : J. Mazenod, *l'Art antique du Proche-Orient*, Éd. Citadelles, Paris; **p. 134 :** col. 2 : R.M.N., Paris; col. 1-3 : Gallimard, Paris; col. 4-7 : R.M.N., Paris; col. 5-7 : Gallimard, Paris; **p. 135 :** col. 1, 2 : R.M.N., Paris; col. 1-3 : Louvre, Paris; col. 6, 7 : Gallimard, Paris; **p. 136 :** R.M.N., Paris; Gallimard, Paris; **p. 137 :** J. Robert/ Gallimard/U.D.F, Paris; **p. 138 :** col. 1, 2 : R.M.N., Paris; col. 1-4 : J. Mazenod, *l'Art antique du Proche-Orient*, Éd. Citadelles, Paris; col. 2-6 : Percheron/Artephot, Paris; col. 6, 7 : Roger-Viollet, Paris; **p. 138-139 :** C. Lenars/ Explorer, Paris; **p. 139 :** col. 1 : Hirmer Fotoarchiv, Munich; col. 1, 2 : R.M.N., Paris; col. 5, 6 : R.M.N., Paris; Gallimard, Paris; col. 7 : R.M.N., Paris; **p. 140 :** col. 1, 5 : R.M.N., Paris; col. 7 : M. Chuzeville/R.M.N., Paris; R.M.N., Paris; **p. 141 :** col. 1 : R.M.N., Paris ; col. 7 : R.M.N., Paris; **p. 142 :** col. 1, 2, 6, 7 : R.M.N., Paris; col. 3, 4 : Dagli-Orti, Paris; col. 6, 7 : R.M.N., Paris; **p. 143 :** R.M.N., Paris; **p. 144 :** Gallimard, Paris; col. 1, 2 : Dagli-Orti, Paris; col. 6, 7 : *The Illustrated London News*, Londres; Dagli-Orti, Paris; **p. 145 :** British Museum, Londres; col. 1, 2, 6 : R.M N., Paris; **p. 146 :** R.M.N., Paris; **p. 147 :** R.M.N., Paris; col. 6-7 : Gallimard, Paris; **p. 148 :** col. 1 : R.M.N., Paris; b : J. Mazenod, *l'Art antique du Proche-Orient*, Éd. Citadelles, Paris; **p. 149 :** copie de J. Lauffray. **p. 150 :** col. 1, 2 :B. Iverson/Time-Kipa, Paris; col. 1 : J. Mazenod, *l'Art antique du Proche-Orient*, Éd. Citadelles, Paris; col. 5-7 : Dagli-Orti, Paris; **p. 150-151 :** M. Chuzeville/R.M.N., Paris.; **p. 151 :** col. 2-5: P. Pitrou/ Gallimard, Paris; col. 7 : R.M.N., Paris; Gallimard, Paris; **p. 152 :** J. Mazenod, *l'Art antique du Proche-Orient*, Éd. Citadelles, Paris; **p. 152-153 :** British Museum, Londres; **p. 153 :** J. Mazenod, *l'Art antique du Proche-Orient*, Éd. Citadelles, Paris; **p. 154 :** col. 1, 2 : R.M.N., Paris; b : Gallimard, Paris; col. 4, 5 : Bildarchiv Preussischer Kulturbesitz, Berlin; col. 6, 7 : P. Pitrou/ Gallimard, Paris; col. 3-7 : Staatliche Museen, Berlin; **p. 155 :** col. 1, 2 : M. Chuzeville/ R.M.N., Paris; D. Bouquignaud/ TOP, Paris; J. Mazenod, *l'Art antique du Proche-Orient*, Éd. Citadelles, Paris; col. 6, 7 : R.M.N., Paris; col. 2-7 : Nimatallah/Artephot, Paris; **p. 156 :** col. 1, 2 : R.M.N, Paris, b : British Museum, Londres; col .6,7 : R.M.N., Paris; b : British Museum, Londres; **p. 157 :** col. 1, 2 : M. Chuzeville/ R.M.N., Paris; col. 4, 5 : R.M.N., Paris; col. 6 : Louvre, Paris; col. 7 : R.M.N., Paris; col. 6, 7 : *le Démon de la tour Eiffel*, Casterman, Tournai; **p. 158 :** R.M.N., Paris; **p. 158-159 :** D.R.; **p. 159 :** col. 1, 2 : B.N., Paris; col. 6, 7 : British Museum, Londres; **p. 160 :** Salvini, Paris; col. 4, 5 : Staatliche Museen, Berlin. **p. 161 :** col. 1-7 : Dagli-Orti, Paris; col.1, 2 : D.R.; col. 5, 6 : Dagli-Orti, Paris; **p. 162 :** R.M.N., Paris; col. 2 h. :Gallimard, Paris; col. 3, 4 h. : Gallimard, Paris; col. 4 h. : Louvre, Paris; col. 5 : Gallimard, Paris; col. 5-7 : musée de Brooklyn; **p. 163 :** col. 1, 2 : R.M.N., Paris; col. 6, 7 : Louvre, Paris; M. Chuzeville/R.M.N., Paris; col. 4, 5 : Gallimard, Paris; **p. 164 :** col. 1, 2 : R.M.N., Paris; col. 2-5 : M. Chuzeville/ R.M.N., Paris; **p. 165 :** col. 1, 2 : Larrieu, R.M.N., Paris; col. 6,7 : R.M.N.,Paris; col. 2-7 : M. Chuzeville/ R.M.N., Paris; **p. 166 :** col. 1, 2 : Archaeological Museum, Ankara; R.M.N., Paris; U.D.F./ Gallimard, Paris; col. 6 : U.D.F ./ Gallimard, Paris; **p. 166–167 :** h : Gallimard, Paris; b : U.D.F./Gallimard, Paris; **p. 167 :** col. 4, 5 : R.M.N, Paris; col. 6, 7 : Louvre, Paris; Gallimard, Paris; R.M.N., Paris; **p. 168 :** col. 1, 2 : Dagli-Orti, Paris; Cleveland Museum of Art; col. 3, 5 : U.D.F./Gallimard, Paris; col. 6 : R.M.N., Paris; col. 7 : Dagli-Orti, Paris; **p. 168–169 :** Dagli-Orti, Paris; **p. 169 :** col. 1, 3, 4 : Dagli-Orti, Paris; col. 5 : R.M.N., Paris; col. 6, 7 : M. Chuzeville/ R.M.N., Paris; Dagli-Orti, Paris; M. Chuzeville/R.M.N., Paris; **p. 172 :** col. 1, 2 : R.M.N., Paris; col. 1 : Louvre, Paris; col. 2 : Salvini, Paris; col. 1-3 : C. Larrieu/R.M.N., Paris; col. 6, 7 : R.M.N., Paris; **p. 172–173 :** L.Cavro/U.D.F./ Gallimard, Paris; **p. 173 :** col. 1, 2 : M. Chuzeville/R.M.N., Paris; col. 2, 3 : R.M.N., Paris; col. 4, 5 : Louvre, Paris; col. 6, 7 : J. Schormans/R.M.N, Paris; R.M.N., Paris; C. Larrieu/ R.M.N., Paris; **p. 174 :** R.M.N., Paris; **p. 176 :** col. 1, 2 : R.M.N, Paris; Gallimard, Paris; col. 3-6 : R.M.N., Paris; col. 6 : Gallimard, Paris; Louvre, Paris; col. 7 : British Museum, Londres; col. 1-7 : Jewish National and University Library, Jerusalem. **p. 177 :** Cercle d'art/Artephot, Paris; col. 1, 2 : Musée archéologique, Châtillon-sur-Seine; col. 6 : Musée archéologique, Châtillon-sur-Seine; **p. 178 :** col. 1, 2 : Lee Boltin/musée de l'Ermitage, Leningrad; col. 7 : R.M.N., Paris; **p. 178-179 :** R.M.N., Paris; **p. 179 :** col. 1 : R.M.N., Paris; col. 4, 5 : Lee Boltin/ musée de l'Ermitage, Leningrad; col. 6, 7 : Hamburgisches Museum für Völker- kunde, Hambourg; **p. 180 :** Landes-denkmalamt Baden-Württemberg, Stuttgart; **p. 182 :** col. 1 : Landes-denkmalamt Baden-Württemberg, Stuttgart; col. 4-7 : Museo Arqueologico Nacional, Madrid; **p. 182-183 :** Percheron/Artephot, Paris; **p. 183 :** col. 1, 2 : Museo Arqueologico Nacional, Madrid; Bernisches Historisches Museum, Berne; Landesmuseum Mainz, Mayence; col. 2-5 : Lessing/ Magnum, Paris; col. 6, 7 : R.M.N., Paris; M. Grcevic, Zagreb; Lessing/Magnum, Paris; **p. 184 :** col. 1 : D. Vitali, Bologne; col. 5-7 : Lessing/ Magnum, Paris; **p. 184-185 :** Gallimard, Paris; **p. 185 :** col. 1 : R.M.N., Paris; Dagli Orti, Paris; British Museum, Londres; col. 2 : D. Vitali, Bologne; Gallimard; col. 6, 7 : Roger-Viollet, Paris; **p. 186 :** col. 1 : Michaud/Rapho; col. 2, 3 : Nimatallah/Artephot; col. 4-6 : Bulloz; col. 7 : Dagli-Orti; **p. 186-187 :** N.D.-Viollet, Paris; **p. 187 :** col 1-3 : coll. Viollet; Foliot/centre Camille-Juillan/CNRS, Aix-en-Provence; photo Lenars; col. 6, 7 : musée Calvet, Avignon; Luc Long/D.R.A.S.M., Marseille; Centre Camille-Juillan/CNRS, Aix-en-Provence; **p. 188 :** col. 1: Charmet/ Explorer archives, Paris; D.R.; Rheinisches Landes-museum, Bonn; copyright 1990, Éd. Albert-René/Goscini-Uderzo, Paris; col. 3-7 : N.D.-Roger-Viollet, Paris; **p. 189 :** col. 1, 2 : R.M.N, Paris; col. 5, 6 : A.R.M., Marseille; Nationalmuseet, Copenhage; col. 6, 7 : Gallimard, Paris; **p. 190 :** Charmet/ Explorer archives, Paris; photos Beuvray; **p. 191 :** col. 1, 2 : R.M.N., Paris; col. 3-6 : Gallimard, Paris; col. 7 : R.M.N., Paris; **p. 192 :** col.1, 2 : Freilichtmuseum/Asparn/ Zaya; Ulster Museum,Belfast; Butser Hill Experimental Farm/Dr. Peter J. Reynolds; Gallimard, Paris; col. 2, 3 : musée Gaumais, Virton; col. 3, 4 : maquette de la cabane du Braden II/J.-P. Le Bihan, Quimper; Gallimard, Paris; Butser Hill Experimental Farm/Dr. Peter J. Reynolds; col. 5, 6 : photo Briard, Rennes; R.M.N., Paris; Butser Hill Experimental Farm/Dr. Peter J. Reynolds; Gallimard, Paris; col. 7 : Musée cantonal, Neuchâtel; Butser Hill Experimental Farm/Dr. Peter J. Reynolds; Gallimard, Paris; col. 1-7 : Butser Hill Experimental Farm/Dr. Peter J. Reynolds, garde p. III : Israël Museum, Jerusalem.

Couverture et page de titre : (de haut en bas et de gauche à droite) 1er plat : R.M.N., Paris; Christian Heinrich/ P.I.J. Gallimard-Larousse, Paris; D.R.; Lee Boltin, New York; U.D.F./Gallimard, Paris; Roger Viollet, Paris; Israel Museum, Jerusalem; Jean-Philippe Chabot/ P.I.J. Gallimard-Larousse, Paris; Landesmuseum Baden Wurtemberg, Stuttgart; b : Jame's Prunier/Gallimard, Paris.

Dos : Gallimard, Paris ; 4e plat : R.M.N., Paris; J.-P. Lange/P.I.J. Gallimard-Larousse, Paris.

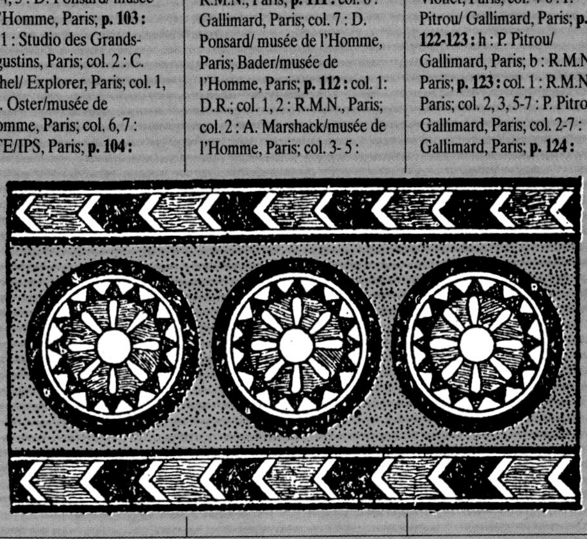

TABLE DES ILLUSTRATIONS

Les illustrations sont de Jean-Philippe Chabot (p. 123, pp. 170-171) ; Ute Fuhr et Raoul Sautay (pp. 174-175) ; Donald Grant (pp. 178-179, pp. 180-181, p. 183, p. 184, p. 189, pp. 190-191) ; Christian Heinrich (pp.130-131, pp. 136-137, pp. 140-141, pp. 142-143) ; Jean-Pierre Lange (pp. 148-149, pp. 164-165) ; Sylvaine Pérols (pp. 150-151) ; François Place (p. 133, p. 147) ; Jame's Prunier (couverture, p. 100, pp. 102-103, pp. 104-105, pp. 108-109); Jean Torton (p. 188) ; Gilles Tosello (pp. 114-115, pp. 116-117, p. 119, pp. 120-121, pp. 124-125, p. 127). Cartographie Patrick Mérienne.

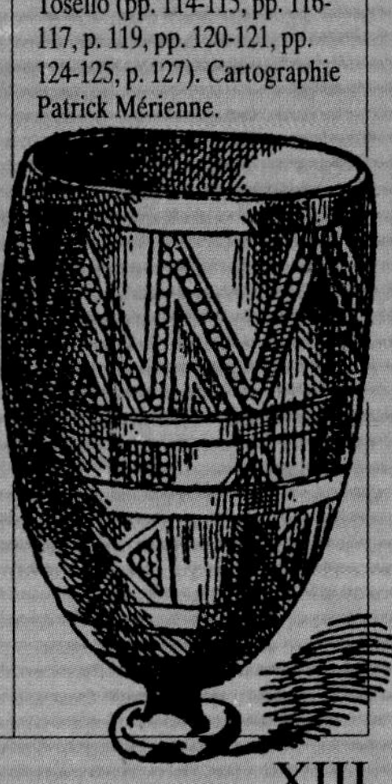